D0901908

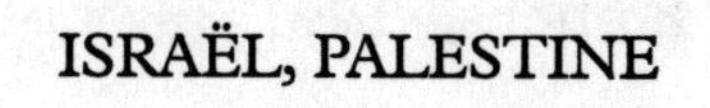

ISRAËL, PALESTINE

DU MÊME AUTEUR

L'Islam en questions, Paris, Sindbad, 2001, rééd. Arles, Actes Sud, 2002 (avec Tariq Ramadan).

Palestine 47 : un partage avorté, Bruxelles, Complexe, 1998 (avec Dominique Vidal).

Les 100 portes du Proche-Orient, Paris, Éditions de l'Atelier, 1996 (avec Dominique Vidal).

Le Golfe, clefs pour une guerre annoncée, Paris, Le Monde Éditions, 1991 (avec Dominique Vidal).

Alain Gresh

Israël, Palestine

Vérités sur un conflit

Nouvelle édition

Fayard

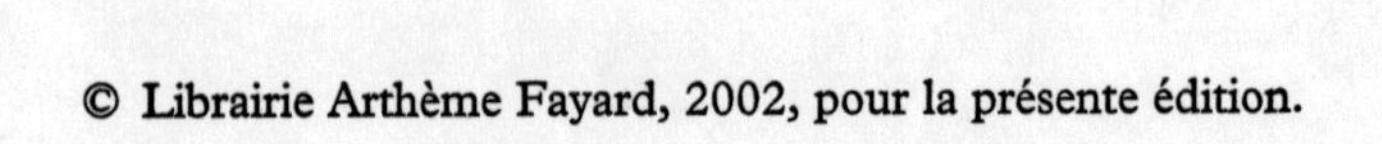

Remerciements

Ce livre est né d'une conversation sur l'enseignement du conflit israélo-arabe, d'une crainte, suscitée par les manifestations qui ont suivi en France le déclenchement de la seconde Intifada, et d'une indignation face au traitement accordé aux événements par les responsables politiques. J'ai utilisé les travaux de dizaines d'auteurs palestiniens, israéliens, français, anglo-saxons. J'ai pillé allégrement les recherches les plus récentes sur l'histoire du conflit, mais aussi les réflexions plus anciennes sur la « question juive » ou sur la nation. Dans la bibliographie, je reconnais ma dette à leur égard.

Je remercie Isabelle Avran, Alice Barzilay, Sylvie Braibant, Marina Da Silva, Laurence Malegat, Rita Sabah, Geneviève Sellier et Dominique

Vidal pour leur relecture minutieuse du manuscrit, mais surtout pour leurs critiques, leurs suggestions, leurs enrichissements, sans lesquels cet ouvrage ne serait pas ce qu'il est.

Tous mes remerciements à Henri Trubert, des éditions Fayard, qui a accepté sans hésiter le projet balbutiant que je lui présentai et m'a soutenu par ses conseils.

Ce livre est dédié à ma fille et aux jeunes de sa génération, à mes enfants. C'est en pensant à elle, à eux que je l'ai écrit.

AVANT-PROPOS

Lettre à ma fille

J'ai écrit ce livre pour toi, en pensant à toi et à tous les jeunes de vingt ans. Cela fait plus de deux décennies que j'écris sur le conflit israélo-palestinien, que je donne des conférences sur ce thème, que j'effectue des reportages sur place. J'ai débattu ardemment des droits des Palestiniens, de la nature de l'État d'Israël, de la paix à venir. Convaincu de la force de la raison et de la logique, de la nécessité de surmonter les préjugés, j'ai essayé de comprendre, de faire comprendre cet Orient prétendument compliqué. Je l'ai toujours fait avec passion, car j'ai le Proche-

Orient au cœur. J'y suis né et j'y ai grandi. Et j'espère vous transmettre, à toi et à tes frères, au moins une once de ce penchant, bien que mon itinéraire ne soit ni le tien ni le leur.

Avec l'échec des accords d'Oslo, avec la spirale de la violence au Proche-Orient, j'ai été pendant un temps saisi par le découragement. Les espoirs de paix s'effondraient, une nouvelle fois la région se trouvait emportée dans la folie et les affrontements. Pis, le conflit débordait dans l'Hexagone. Des milliers de Français juifs, souvent très jeunes, manifestaient devant l'ambassade d'Israël, quelques-uns aux cris de « Mort aux Arabes ! ». Ailleurs, d'autres jeunes Français, souvent d'origine maghrébine, clamaient leur indignation face à la répression en Cisjordanie et à Gaza, quelques-uns aux cris de « Mort aux juifs ! ». Des synagogues ont été attaquées, brûlées. Les attentats du 11 septembre à New York et Washington ont ravivé la haine antimusulmane et relancé les agressions anti-arabes. Le spectre d'une guerre communautaire flotte sur la « douce France ». Au-delà de la condamnation de principe de toutes les manifestations d'antisémitisme, les responsables politiques ont paru paralysés. Dans les collèges, les lycées, des enseignants tétanisés expliquaient qu'ils préféraient garder le silence plutôt qu'ouvrir le débat : les solidarités « communautaires » – les « feujs » avec

Israël, les «beurs» avec les Palestiniens, les «Français de souche» regardant ailleurs – paraissaient tellement fortes, tellement «naturelles», tellement insurmontables; il valait mieux éviter de les exacerber.

Comment consentir à cette vision? Pour moi, cela reviendrait à abdiquer les principes qui ont fondé mon travail, mes engagements, mes convictions. J'appartiens à une génération qui est venue à la politique – comme on dit venir au monde – dans les années 1960, à travers le formidable mouvement de décolonisation et à la faveur de la lutte, que nous proclamions invincible, du peuple vietnamien contre l'agression des États-Unis. Les clivages étaient alors politiques – idéologiques, oserais-je ajouter si ce mot n'avait désormais mauvaise presse. Ni les origines des uns, ni la religion des autres n'avaient de poids dans nos analyses, nos luttes, nos certitudes. Nous nous voulions partie intégrante de l'humanité, au-dessus des préjugés, des assignations de la «race» ou même de la nation. C'est ce qui nous avait séduits dans le message universaliste du marxisme : «Prolétaires de tous pays, unissez-vous! »

Certes, le conflit israélo-arabe était plus compliqué que la guerre du Vietnam. La crise de l'été 1967 avait d'abord paniqué nombre de Français juifs, persuadés que la survie d'Israël était en jeu, puis la victoire écrasante de ce dernier sur l'Égypte, la Syrie et la Jordanie les avait enthousiasmés, ainsi qu'une bonne partie de l'opinion publique. Le poids du génocide des juifs, le mythe du kibboutz socialiste (exploitation agricole collective), mais aussi le sentiment de «revanche» anti-arabe cinq ans seulement après la fin de la guerre d'Algérie – autant de facteurs qui expliquaient ces prises de position unilatérales en faveur d'Israël. Mais, pour l'essentiel, les affrontements restaient politiques. Et dans les organisations communistes et d'extrême gauche, où des juifs militaient en nombre, nous défendions, encore une fois, des positions internationalistes.

Pourtant, nous étions les héritiers d'une tradition nationale. Nous étions encore fascinés par ces Français déclarés traîtres à leur patrie pour s'être engagés aux côtés du Front de libération nationale algérien; on les appelait les «porteurs de valise». Contrairement à Albert Camus, ils avaient préféré la justice à «leur mère». Né en Égypte d'une mère d'origine juive russe et d'un père copte, athée mais respectueux des croyants, je me reconnaissais dans le pays des Lumières. Je te l'ai déjà dit, ma fille, j'ai l'immense privilège d'avoir «choisi» ma nationalité : le lycée du Caire m'avait fait français de culture et de cœur, même si je ne l'étais pas de sang. J'admirais Voltaire. Il s'était engagé dans l'affaire Calas, défendant ce calviniste accusé en 1761 d'avoir tué son fils prétendument converti au catholicisme, et exécuté l'année suivante à Toulouse. L'affaire avait divisé la France. Il avait fallu attendre 1765 pour que Calas soit réhabilité après que Voltaire eut plaidé sa cause avec tout le talent et l'énergie qu'il mettait, par ailleurs, à combattre les fanatismes religieux, y compris le protestantisme, et les privilèges des Églises.

« Avec mon frère contre mon cousin, avec mon cousin contre les étrangers » : l'adage, paraît-il, résumait la spirale des massacres que connaissait le Liban plongé dans la guerre civile durant les années 1970. Cette logique, je l'ai toujours rejetée. Faut-il l'accepter à l'heure où l'on célèbre le « village planétaire », les droits universels de la personne et l'égalité entre êtres humains ? Faudrait-il considérer comme légitime que les juifs soient solidaires d'Israël, les musulmans des Palestiniens ?

On peut comprendre qu'il existe des proximités familiales, affectives, religieuses. « Presque tous les juifs de Strasbourg, notait un responsable du Conseil représentatif des organisations juives de France (CRIF) après divers incidents antisémites à l'automne 2000, ont de la famille là-bas. Le sentiment de base est une réaction d'anxiété pour les proches. Dès qu'un danger menace Israël, la solidarité joue à plein. » Quant aux jeunes d'origine musulmane, ils s'identifient à ces lanceurs de pierres, pour des raisons sociales – « Déshérités de tous pays, unissez-vous » – ou par un sentiment plus ou moins diffus d'appartenance culturelle et religieuse. Mais faut-il consentir à ces solidarités « primaires » ?

Malheureusement, la gauche semble s'y résigner. Figée par la crainte de débordements, faisant appel – quand elle était encore au pouvoir – aux autorités religieuses pour calmer les tensions, elle a abandonné à leur sort ces jeunes qui grandissaient en dehors de son influence, de sa culture, de sa vision du monde. Elle n'a pas su s'adresser à eux, répondre aux tourments qu'ils rencontraient dans les cités, trouver les mots qui touchent, mener les actions qui auraient pu donner à ce qui se passait en Palestine et en Israël un contenu universel. Écœurés, vers qui se tourneront ces jeunes ? Vers ceux qui donnent à ce combat une explication – et une solution – religieuse ou communautaire ?

Comme à chaque nouvelle crise dans la région, j'ai été sollicité pour participer à des débats. Les discussions ont souvent été acharnées. J'ai rencontré de nombreux jeunes de ton âge, lycéens ou étudiants. J'ai pris conscience que nous n'avions pas été capables de leur transmettre cette expérience « internationaliste » que j'évoquais plus haut. Je souhaite, contre tous les vents contraires et sans vouloir idéaliser le passé, assumer ce rôle de «passeur», et mon désir est à l'origine de ce livre. J'ai voulu à la fois rétablir un certain nombre de faits sans la connaissance desquels aucune discussion sérieuse n'est possible, et exposer les principes sur lesquels se fonde ma manière de voir le conflit.

L'affrontement en Palestine est l'un des plus anciens de la planète. Il remonte à un siècle environ, avec l'émergence du mouvement sioniste en Europe et les premières vagues de colonisation en Palestine. De la Première Guerre mondiale à aujourd'hui, il a impliqué, à chaque époque, toutes les grandes puissances, de l'Empire ottoman à la Russie tsariste, de l'Union soviétique à l'Allemagne nazie, des États-Unis à la Grande-Bretagne. Il s'est traduit par cinq guerres, dont certaines ont failli dégénérer en conflagration mondiale. Dans le programme d'histoire de terminale, qui aborde le monde d'aujourd'hui, le Proche-Orient est éclaté en plusieurs chapitres, en plusieurs thématiques. De surcroît, comme nombre de professeurs répugnent à aborder ce sujet «sensible», qui tombe rarement à l'épreuve du baccalauréat, la confusion est la règle. Or la connaissance est la condition préalable à tout débat. Des points de vue divers peuvent se confronter si jeunes et moins jeunes possèdent, ce qui n'est généralement pas le cas, les éléments historiques de base. Je rappellerai donc les faits et les enchaînements qui me paraissent indispensables pour ouvrir un débat sérieux.

Mais ces précisions sont insuffisantes. Après tout, il existe déjà des centaines d'ouvrages décortiquant le conflit, son histoire et ses protagonistes. Ce n'est pas pour cela que les « spécialistes » tombent d'accord. Pourquoi ? Parce que chacun lit, consciemment ou non, ce conflit à travers des « grilles d'analyse » qui donnent un « sens » aux événements. Que répondre à quelqu'un qui proclame que la terre d'Israël a été donnée aux juifs par Dieu ? Peut-on contester la parole de Dieu ? Une vision religieuse, fondée sur un message divin, est non négociable. Comment convaincre des élèves musulmans qui pensent que la Palestine est terre islamique et ne peut faire l'objet de marchandages ou de compromis ?

Comprends-moi bien. La ligne de démarcation, pour ce qui concerne la Palestine ou pour tout autre affrontement, ne passe pas toujours entre les religieux et les autres. Certains laïques défendent des positions nationalistes extrémistes, qui attribuent une supériorité aux « leurs » contre les « autres » – nous l'avons vu en Serbie ou en Croatie. Inversement, certains religieux savent défendre la justice, au nom même de leur religion. Dans une tribune publiée par le quotidien *Le Monde* le 9 janvier 2001, le rabbin David Meyer rappelait que, dans la tradition juive, l'idée de «terre sainte» ou de «promesse inconditionnelle» sur la terre d'Israël n'existe pas. Il citait le chapitre IV du Deutéronome (l'un des premiers livres de la Bible) : «Maintenant donc, ô peuple d'Israël, écoute les lois et les règles que je t'enseigne pour les pratiquer, afin que vous viviez et que vous arriviez à posséder le pays que l'Éternel, Dieu de tes pères, vous donne. [...] Voyez, je vous ai enseigné des lois et des statuts, selon ce que m'a ordonné l'Éternel, mon Dieu, afin que vous vous y conformiez dans le pays où vous allez entrer pour le posséder. Observez-les et pratiquez-les ! Ce sera là votre sagesse et votre intelligence aux yeux des peuples [...]. Or, quand vous aurez engendré des enfants, puis des petits-enfants, et que vous aurez vieilli sur cette terre, si vous dégénérez alors, si vous fabriquez une idole, image d'un être quelconque, faisant ainsi ce qui déplaît à l'Éternel, ton Dieu, et l'offense, j'en prends à témoin, aujourd'hui contre vous, les cieux et la terre ; vous disparaîtrez promptement de ce pays pour la possession duquel vous allez passer le Jourdain, vous n'y prolongerez pas vos jours, vous en serez proscrits.» Et le rabbin s'interroge sur ce culte insensé « que constitue l'idolâtrie de la terre d'Israël, du "Grand Israël" », qui fait passer « les notions de sainteté et de sacré avant celle du respect de la vie humaine ».

Pour ma part, je n'appartiens à aucun « parti de Dieu », je me contente – comme le « bâtard Gœtz », le personnage central de la pièce *Le Diable et le Bon Dieu* de Jean-Paul Sartre – d'appartenir à celui des hommes, ou plutôt à celui des êtres humains. Je ne reconnais aucune hiérarchie entre eux, pas plus que je ne classe sur une échelle ascendante ou descendante les communautés religieuses ou nationales. Même si je comprends que, pour des raisons parfois familiales, quelquefois religieuses, souvent culturelles, nous puissions nous sentir plus proches de tel ou tel peuple... À condition de ne pas l'idéaliser, à condition de ne pas absoudre les crimes commis en son nom.

En Palestine, il n'existe pour moi aucun droit « naturel » ou « religieux ». Remonter à trois mille ans ou même à mille ans pour déterminer quel arpent de terre appartient à qui est un exercice absurde, illégitime, mais aussi sanglant. Une telle argumentation a été utilisée par la direction de Belgrade pour justifier un « droit » sur le Kosovo, « berceau de la Serbie ». Nous savons que les nations modernes remontent au XVIIIe siècle et à la Révolution française. Je reviendrai sur ce point dans le chapitre III. Mais l'occupation de telle région française par des tribus germaniques ou de l'Aquitaine par les «Anglois» ne crée aucun droit...

Comment, alors, s'y reconnaître dans des revendications opposées? Par l'affirmation du primat du droit international. Que disent, en substance, les résolutions des Nations unies sur la Palestine et sur Israël? Elles reconnaissent que, désormais, sur la terre historique de la Palestine sont installés deux peuples, l'un juif israélien, l'autre palestinien, et que chacun de ces deux peuples a droit à son État indépendant.

Nuançons néanmoins cette symétrie. D'abord, le peuple israélien dispose déjà d'un État depuis plus de cinquante ans, alors que les Palestiniens en sont toujours privés et vivent dans l'exil forcé ou sous occupation. D'autre part, la situation actuelle est née d'une injustice originelle : les Palestiniens ont été chassés de chez eux, notamment en 1948-1950, par les milices juives puis par l'armée israélienne, comme je le développerai dans le chapitre IV. Cette expulsion, longtemps niée ou refoulée en Israël comme en Occident, est désormais un fait établi, grâce notamment aux travaux des «nouveaux historiens» israéliens. Nous vivons à une époque et dans un ensemble, l'Europe, où l'on invoque à satiété le «devoir de mémoire». Très bien, mais ne faisons pas preuve de sélectivité. L'injustice faite aux Palestiniens mérite, comme d'autres – multiples durant la période coloniale –, réparation et d'abord reconnaissance. Cette dimension morale ne peut être occultée car elle conditionne une réconciliation entre Israéliens et Palestiniens.

Sur ce conflit pèse lourdement le génocide des juifs. Les prises de position, en France comme au Proche-Orient, sont marquées au fer rouge par ce qui constitue l'un des crimes les plus abominables de l'histoire de l'humanité. L'anéantissement des juifs par le nazisme et ses alliés, l'incapacité des grandes puissances de l'époque à empêcher ce crime ont créé une culpabilité dans les opinions occidentales et une inclination en faveur de ceux qui se revendiquent les héritiers de l'histoire et de la mémoire des juifs. Ce martyre a favorisé le vote de l'Assemblée générale des Nations unies du 29 novembre 1947 en faveur du partage de la Palestine, et donc de la naissance de l'État d'Israël. Mais ce sont les Palestiniens qui ont payé le prix d'un crime qu'ils n'ont pas commis, et pour lequel ils n'ont à assumer aucune responsabilité. Je reviendrai aussi plus longuement, dans le chapitre V, sur cette contradiction.

Quand on évoque le Proche-Orient, on ne peut être « au-dessus de la mêlée ». La neutralité relève de l'illusion. Pourtant, je refuse la solidarité abstraite avec l'un des deux camps. Je ne pense pas qu'un peuple – n'importe lequel – soit « bon », « juste », « supérieur » par nature ou par une quelconque grâce divine ou immanente. Aucun peuple n'est investi d'une « mission supérieure ». Pas plus les Palestiniens que les Israéliens.

Je vais donc essayer de t'expliquer tout cela. Aussi simplement que possible. Je n'entrerai pas dans le détail, les livres sont innombrables sur le sujet ; je choisirai les éléments qui me semblent indispensables pour comprendre le conflit. Mais, avant de commencer, je voudrais te convier à un détour. Depuis deux ans, de nombreuses polémiques agitent la France. Elles illustrent, à mon sens, la difficulté d'ouvrir un débat sur ce conflit à nul autre pareil.

CHAPITRE PREMIER

« Dieu est du côté du persécuté... »

« Est-ce ratiociner que de se demander d'où venaient ces enfants, qui les avait mis en première ligne, dans le cadre de quelle lugubre stratégie du martyre ? [...] Est-ce faillir, oui, que de suggérer que la brutalité insensée de l'armée sud-africaine, cette débauche et cette disproportion des moyens employés étaient une réponse à ce qu'il faut appeler une déclaration de guerre des Noirs ? » Ces mots, s'ils avaient été écrits au lendemain des émeutes de Soweto de 1976, qui virent se soulever la jeunesse des *townships* d'Afrique du Sud, auraient définitivement discrédité leur auteur...

Or ce texte, Bernard-Henri Lévy l'a écrit dans *Le Point* du 13 octobre 2000. On lisait ainsi : «Est-ce ratiociner que de se demander d'où venaient ces enfants, qui les avait mis en première ligne, dans le cadre de quelle lugubre stratégie du martyre? [...] Est-ce faillir, oui, que de suggérer que la brutalité insensée de l'armée israélienne, cette débauche et cette disproportion des moyens employés étaient une réponse à ce qu'il faut appeler une déclaration de guerre des Palestiniens? » Des dizaines de jeunes de moins de 18 ans, parfois des enfants, furent tués durant les premières semaines de la seconde Intifada. Et Bernard-Henri Lévy se demande ce qu'ils faisaient en première ligne. Se serait-il posé la question si ces jeunes avaient été bosniaques ou tchétchènes?

Quelques semaines plus tard, Bernard-Henri Lévy «rectifie» légèrement le tir, si l'on peut dire, à la suite d'un voyage en Palestine : «Un argument que je n'utiliserai plus, reconnaît-il, après avoir entendu des mères palestiniennes me dire, comme toutes les mères du monde, leur folle angoisse quand, à l'heure de la sortie de l'école, elles ne voient pas rentrer leur fils : "les enfants délibérément mis en avant, sciemment transformés en boucliers humains, etc." » Mais il ajoute que le petit Mohamed El Dourra, cet enfant dont la mort a été filmée en direct par les caméras de télévision, a été tué par «une balle "perdue"», non par «le tir ciblé d'un soldat juif assassin d'enfants» (*Le Point*, 24 novembre 2000). Ainsi, Bernard-Henri Lévy a besoin de faire le voyage en Palestine pour comprendre que les mères palestiniennes ne hurlent pas de joie quand tombent leurs enfants, que les Palestiniens sont, tout simplement, des êtres humains ?

L'Histoire joue parfois de drôles de tours, comme le prouve cette anecdote. La manifestation a été très dure. Les affrontements se sont prolongés. À l'issue d'une journée d'émeutes, on relève 9 morts et 44 blessés graves. Parmi ces derniers, 18 sont âgés de 8 à 16 ans, 14 ont entre 16 et 20 ans. La presse dénonce alors ces parents qui se servent de leurs enfants comme «boucliers humains» ou qui les envoient au casse-pipe alors qu'eux restent tranquillement à la maison. Ces faits se passent bien en Palestine, mais en... novembre 1945 à Tel-Aviv. Les manifestants étaient alors des juifs qui protestaient contre les restrictions de l'immigration. *Davar*, le quotidien de la centrale syndicale juive (la Histadrout), publia une caricature qui lui coûta une interdiction d'une semaine : un médecin, aux côtés d'enfants blessés sur leur lit d'hôpital, dit à un collègue : «Bons tireurs, ces Anglais ! Des cibles si petites, ils ne les ratent pas ! »

Cet épisode a été rapporté par Charles Enderlin, correspondant de France 2 à Jérusalem, dont l'équipe a filmé en direct la mort du petit Mohamed El Dourra. Bernard-Henri Lévy aurait-il écrit à l'époque que les jeunes manifestants avaient été tués par des «balles perdues» ? Et que signifie sa formule «soldat juif assassin d'enfants» ? Une semonce à tous ceux qui critiquent l'armée israélienne : vous seriez porteurs d'un antisémitisme camouflé, vous propageriez les pires clichés de l'antisémitisme, des juifs «buveurs du sang des enfants». Si notre «philosophe» avait tout simplement lu la presse israélienne, il aurait su que, oui, des soldats israéliens tuent délibérément, y compris des enfants.

La journaliste israélienne Amira Hass a publié ce dialogue insensé avec un tireur d'élite de l'armée israélienne : «On nous interdit de tuer les enfants», explique-t-il en parlant des ordres de sa hiérarchie. Mais il ajoute : «Vous ne tirez pas sur un enfant qui a 12 ans ou moins. Au-dessus de 12 ans, c'est autorisé. C'est ce qu'ils nous disent» (*Le Monde*, 24 novembre 2000). L'organisation israélienne de défense des droits humains B'tselem, s'appuyant sur les chiffres mêmes de l'armée israélienne, a montré que dans les trois quarts des incidents les plus mortels, entre le début de l'Intifada et le 15 novembre 2000, on n'avait décelé la présence d'aucun tireur palestinien (*International Herald Tribune*, 14 décembre 2000). La presse a mentionné les nombreux cas où des Palestiniens, oui, des enfants, ont été délibérément tués alors que la vie des soldats n'était nullement en danger. Le refus de l'armée d'ouvrir des enquêtes sur la plupart de ces cas encourage évidemment un tel comportement. Depuis le début de la seconde Intifada, ces pratiques perdurent : selon Amira Hass, à la mi-juin 2002, 116 enfants ont été tués à Gaza, 253 en Cisjordanie. Et l'enquête menée par un autre journaliste israélien, Joseph Algazy, du quotidien *Haaretz*, a révélé le cauchemar de dizaines de Palestiniens de 14, 15 ou 16 ans battus, maltraités, voire, pour certains, torturés dans les prisons israéliennes.

L'affaire de Mohamed El Dourra a touché un point sensible, provoquant d'autres réactions ahurissantes. Claude Lanzmann est le directeur des *Temps modernes*, une revue fondée par Sartre. Elle a joué un rôle dans le débat intellectuel français, mais c'était il y a très longtemps. Lanzmann a réalisé un film – marquant – sur le génocide des juifs : *Shoah*. Il en a commis un autre, pitoyable et apologétique, sur l'armée israélienne. C'est son droit, nous sommes dans un pays libre. Il en a tourné un troisième intitulé *Pourquoi Israël?* À aucun moment il n'y évoque les Arabes. Interrogé sur les raisons de cette omission, il répond, dans une tribune du *Monde* (7 février 2001) : « C'est à eux de le faire. » Les Noirs devraient écrire sur les Noirs, les Arabes sur les Arabes, les juifs sur les juifs... Logique ethnique, tribale, logique de guerre, éloignée de tout idéal humaniste.

Claude Lanzmann a, bien sûr, une opinion sur l'affaire du petit Mohamed El Dourra : « C'est que cette mort a été filmée en direct par le cameraman arabe d'une chaîne française de télévision. Moi, si je vois un gosse qui risque d'être tué sous mes yeux, ma tendance serait plutôt d'y courir et d'essayer de le sauver plutôt que de flatter ce que Lacan appelait la pulsion "scopique" (ou "scoopique", comme on voudra). » Charles Enderlin, dont dépendait Talal, le cameraman mis en cause, répondit dans un courrier au *Monde*, où il se définissait ironiquement comme « journaliste juif de la chaîne française France 2 » : « Devons-nous signer nos reportages en signalant aux téléspectateurs notre appartenance nationale ou religieuse : journaliste juif, cameraman arabe, preneur de son chrétien, monteur vidéo vietnamien ? » Et il précisait : « Sous le feu pendant quarante minutes, [Talal] a craint lui-même d'y laisser la vie, m'appelant plusieurs fois depuis son téléphone portable pour me demander de m'occuper de sa famille si lui aussi était tué. Les autres cameramen présents sur les lieux ont filmé la scène, Talal et son assistant se protégeant derrière une camionnette blanche au milieu du carrefour. Un ambulancier a tenté de porter secours au petit Mohamed et à son père. Il a été tué. Mais faut-il souligner qu'il était arabe, palestinien et musulman ? »

Une seule question mérite d'être posée : comment un soldat peut-il viser des enfants pour les tuer ? Toute autre interrogation est obscène, s'émeut le psychiatre palestinien Eyad Serraj. C'est de cette obscénité que nous devons nous garder en plongeant dans l'histoire de ce conflit.

Des voix courageuses, y compris parmi les juifs, ont rejeté et cette obscénité, et la dérive des solidarités «communautaires». Le 18 octobre 2000, *Le Monde* publiait un appel : «Citoyens du pays dans lequel nous vivons et citoyens de la planète, nous n'avons pas de raisons ni pour habitude de nous exprimer en qualité de juifs», écrivaient des dizaines d'intellectuels, dont le résistant Raymond Aubrac, l'ancien président de Médecins sans frontières Rony Brauman, le philosophe Daniel Bensaïd, le médecin Marcel-Francis Kahn, l'avocate Gisèle Halimi, le mathématicien Laurent Schwartz (décédé en juillet 2002), l'historien Pierre Vidal-Naquet. «Nous combattons, poursuivaient-ils, le racisme, dont, bien sûr, l'antisémitisme sous toutes ses formes. Nous condamnons les attentats contre les synagogues et les écoles juives qui visent une communauté en tant que telle et ses lieux de culte. Nous refusons l'internationalisation d'une logique communautaire qui se traduit, ici même, par des affrontements entre jeunes d'une même école ou d'un même quartier. [...] Mais, en prétendant parler au nom de tous les juifs du monde, en s'appropriant la mémoire commune, en s'érigeant en représentants de toutes les victimes juives passées, les dirigeants de l'État d'Israël s'arrogent aussi le droit de parler, malgré nous, en notre nom. Personne n'a le monopole du judéocide nazi. Nos familles aussi ont eu leur part de déportés, de disparus, de résistants. Aussi le chantage à la solidarité communautaire, servant à légitimer la politique d'union sacrée des dirigeants israéliens, nous est-il intolérable. » Quelques semaines plus tard, avec des intellectuels arabes ou d'origine arabe, ils créaient un comité pour défendre une paix juste au Proche-Orient. Les deux groupes tentaient de transcender les logiques identitaires au nom de principes universels et malgré les condamnations, comme celle de Roger Ascott, dans *L'Arche, le mensuel du judaïsme français* (juillet-août 2001), qui dénonça comme « une poignée de demi-traîtres » ces juifs qui n'étaient pas solidaires d'Israël. Il n'a cependant pas exigé qu'on les fusille.

D'autres ont voulu les clouer au pilori, en compagnie de tous ceux qui exprimaient leur solidarité avec les Palestiniens. Selon ces nouveaux censeurs, cette solidarité cacherait un antisémitisme latent, refoulé. Toute censure de l'État d'Israël dans les médias suscite une avalanche de lettres, de pétitions bien organisées, voire des poursuites devant les tribunaux – comme le procès intenté à Daniel Mermet, animateur de l'émission de France-Inter *Là-bas si j'y suis*, contre lequel ont témoigné à charge Alain Finkielkraut et Alexandre Adler. Ce terrorisme intellectuel, qui vise à empêcher tout débat en apposant un sceau d'infamie sur ses adversaires, n'est pas sans effet sur les journalistes, qui craignent d'être taxés d'antisémitisme.

Pierre-André Taguieff s'est fait le chantre, dans un pamphlet, de la dénonciation d'une «nouvelle judéophobie». Ceux qui critiqueraient la politique du gouvernement d'Israël remettraient en cause, selon lui, le droit de cet État, voire celui de l'ensemble des juifs, à l'existence. Cet antisémitisme ne serait plus l'apanage de l'extrême droite : une partie de la gauche radicale, notamment le mouvement antimondialisation, le partagerait et en serait même le vecteur principal. Mais à l'appui de sa thèse, pour étayer ses dires, il ne peut citer aucun texte, aucun nom précis, si ce n'est quelques critiques formulées à l'encontre de la politique du gouvernement israélien et que partagent certaines organisations et personnalités israéliennes… Celles-ci ne sont pas nombreuses ? Mais les Français favorables à l'indépendance algérienne étaient-ils nombreux en 1954 ?

Qu'importe ! Nous connaissons, selon Pierre-André Taguieff, notamment en Europe, une « vague de judéophobie qui n'a pas de précédent dans la période post-nazie ». Ayant, durant toute l'année 2002, participé à de nombreux débats, parfois à l'invitation d'organisations juives, je sais que beaucoup de juifs de France ont peur. Ils se sentent menacés. Certains ont été victimes d'agressions. S'il faut évidemment condamner ces manifestations d'antisémitisme, comme toutes les violences racistes, il faut aussi savoir raison garder. En France, aucun grand parti politique – à l'exception de l'extrême droite – ne prône l'antisémitisme ; au contraire, tous le condamnent vigoureusement. Aucun obstacle ne s'oppose à ce que des juifs, quel que soit le sens que l'on donne à ce mot (lire chapitre III), occupent n'importe quelle fonction politique, économique ou sociale. Un symbole : selon la chercheuse Nonna Mayer, en 2001, seuls 10 % des Français étaient hostiles à l'élection d'un président de la République juif, contre 50 % en 1966 (*Le Monde*, 4 avril 2002).

Comparer ce qui se passe en France depuis deux ans à une nouvelle Nuit de cristal relève de l'amalgame le plus pernicieux et de l'alarmisme le plus dangereux : rappelons que c'est sous ce nom que l'on désigne la nuit du 9 au 10 novembre 1938, pendant laquelle les nazis orchestrèrent un pogrom national contre les juifs, tuant 91 personnes, détruisant 191 synagogues, saccageant 7500 magasins et déportant 30000 juifs en camps de concentration. «Le rapprochement a été fait, s'indigne Théo Klein, ancien président du CRIF. Je le regrette, et j'ai même assez violemment protesté parce que je pense que l'Histoire doit être respectée et que la comparaison est insultante pour l'Histoire» (*Télérama*, 10 avril 2002).

Interrogé sur les réactions de la communauté maghrébine, désignée par certains comme principale responsable des agressions antijuives, il poursuit : «La majorité des membres de la communauté maghrébine se conduit bien. Mais il y a aussi dans cette communauté des gens qui ne se sont pas adaptés, qui sont passés à côté de la chance que l'école française leur offrait, qui vivent en rupture avec la société et qui n'ont pas trouvé d'autres moyens d'expression que la violence. Pour autant, je ne suis pas prêt à accuser la communauté maghrébine.»

Il existe un antisémitisme, ou plutôt une judéophobie, dans certains milieux islamiques. Il faut les dénoncer. C'est ce que font certains intellectuels musulmans, comme Tariq Ramadan dans une tribune du *Monde* (24 décembre 2001) : « Des propos malveillants, des "À bas les juifs !" fusant dans certaines manifestations, voire des exactions contre des synagogues, ont pu être enregistrés dans différentes villes de France. Plus généralement, on a pu entendre ici et là des propos ambigus sur les juifs, leur pouvoir occulte, leur rôle insidieux dans les médias, leur sombre stratégie... Après le 11 septembre, les fausses rumeurs sur les 4 000 juifs qui ne se seraient pas présentés à leur poste le matin des attaques contre le World Trade Center ont été relayées jusque dans les banlieues [...]. La situation est trop grave pour que l'on se satisfasse de propos de circonstance. Les musulmans, au nom de leur conscience et de leur foi, se doivent de prendre une position claire en refusant qu'une atmosphère délétère s'installe en France. Rien dans l'islam ne peut légitimer la xénophobie et le rejet d'un être humain par le seul fait de sa religion ou de son appartenance. Ce qu'il faut dire avec force et détermination, c'est que l'antisémitisme est inacceptable et indéfendable. Le message de l'islam impose le respect de la religion et de la spiritualité juives, considérées comme la noble expression des "gens du Livre". » Par ailleurs, plusieurs dizaines d'intellectuels arabes en France ont dénoncé ces agressions, qualifiant les attaques contre les synagogues et les commerces juifs, à la suite de Leïla Shahid, déléguée générale de la Palestine en France, de «crimes contre les Palestiniens».

«Nos partenaires et nos partisans les plus précieux, poursuivaient les signataires, sont les Israéliens et les juifs qui œuvrent, aux côtés des Palestiniens, contre l'occupation, la répression, la colonisation et pour la coexistence de deux États souverains, palestinien et israélien. Un grand nombre d'entre eux ont une histoire familiale tragique, marquée par l'holocauste. À nous de leur rendre hommage et de les rejoindre sur cette ligne de crête qui consiste à savoir quitter la tribu quand il s'agit de défendre des droits et des libertés universels» (*Le Monde*, 10 avril 2002).

Des incidents multiples, de nature très différente – du graffiti au message électronique en passant par l'agression physique –, ne font pas une Nuit de cristal, ni une campagne antisémite. À terme, le véritable danger provient de l'extrême droite, qui unit dans sa haine juifs et Arabes. Mais, censeur intransigeant de la «gauche antimondialiste», Pierre-André Taguieff, interrogé par le quotidien israélien *Haaretz* (23 avril 2002) pour savoir si Le Pen pouvait être taxé d'antisémitisme, fait preuve d'une étrange complaisance : «C'est très difficile à dire.

Je suis convaincu que son idéal est une France sans juifs et Nord-Africains. Mais personne n'a jamais été capable de l'identifier sans équivoque comme un antisémite.» Cette mansuétude à l'égard de l'extrême droite a atteint son apogée avec les déclarations de Roger Cukierman, l'actuel président du CRIF, au même quotidien, le 22 avril 2002, à propos des résultats de Jean-Marie Le Pen au premier tour de l'élection présidentielle française : «Le succès de Le Pen est un message aux musulmans pour qu'ils se tiennent tranquilles, car il est connu pour s'être opposé à l'immigration musulmane.» Malgré le tollé qu'ont suscité ses propos, il a refusé de faire publier un démenti dans *Haaretz*, se bornant à dire qu'ils avaient été «déformés».

Les résultats de l'élection présidentielle l'ont montré, il règne en France un climat malsain. La montée du racisme, du rejet de l'autre, est réelle. Les juifs en sont victimes, mais ils ne sont pas les seuls, ni les principaux visés. Selon la Commission nationale consultative des droits de l'homme, on a dénombré en 2001, au moment où, du fait du déclenchement de la seconde Intifada, les tensions étaient les plus vives, 38 faits racistes graves anti-arabes et 29 antijuifs. Les jeunes ne s'y trompent pas qui, interrogés par la Sofres, estiment que le racisme touche d'abord les Maghrébins (89 %), suivis des Gitans (46 %), des Noirs (37 %) et des juifs (10 %) (*Le Monde*, 19 mars 2002). Face à la logique de l'affrontement communautaire – juifs contre Arabes ou musulmans –, il faut en faire triompher une autre. La lutte contre le racisme et l'antisémitisme nous concerne tous, elle n'est l'apanage d'aucune communauté. Or, en avril 2002, le CRIF a refusé les propositions de la Ligue des droits de l'homme d'organiser une manifestation unitaire contre toutes les violences racistes, préférant mobiliser les juifs de France, et eux seuls, contre l'antisémitisme et... pour la solidarité avec le peuple d'Israël.

Un autre argument, tout à fait surprenant, a été avancé au cours de ces polémiques. Richard Liscia, dans un article sur – ou plutôt contre – la presse, publié par le mensuel *L'Arche* en novembre 2000, dénonçait un des «mécanismes» des médias et du public, la solidarité avec les «révoltés» : «L'admiration du public pour les grévistes de la SNCF et de la RATP, ou pour les transporteurs routiers – qui, pourtant, lui empoisonnent l'existence –, n'est peut-être pas sans rapport avec la défense frénétique de la cause palestinienne. On se range maintenant, presque systématiquement, du côté des révoltés.» Faut-il vraiment s'offusquer que l'opinion soit, spontanément, du côté des victimes?

Dans *Le Figaro*, le psychanalyste Daniel Sibony explique que «l'opinion occidentale n'"aime" les gens que victimes. Elle aime les juifs victimes des camps (elle les aime surtout après les camps) et elle aime les Palestiniens victimes des juifs». Propos ambigu sur les camps mais, encore une fois, est-il si anormal de se sentir solidaire des victimes ? Non, à condition de retenir cette leçon de l'Histoire : les victimes d'hier peuvent, malheureusement, se transformer en bourreaux d'aujourd'hui. Les exemples abondent, comme celui, très récent, du Rwanda. Les Tutsis ont été victimes d'un génocide de la part des Hutus, mais l'une de leurs organisations a réussi à conquérir le pouvoir et a commis de terribles massacres. Faut-il pour autant absoudre les responsables du génocide des Tutsis ?

Pierre Vidal-Naquet, historien et pourfendeur de la torture durant la guerre d'Algérie, combattant inlassable des causes justes, cite cet ancien commentaire rabbinique de la Bible, que l'on peut dédier à tous, croyants ou mécréants : «Dieu est toujours du côté de qui est persécuté. On peut trouver un cas où un juste persécute un juste, et Dieu est du côté du persécuté ; quand un méchant persécute un juste, Dieu est du côté du persécuté ; quand un méchant persécute un méchant, Dieu est du côté du persécuté, et même quand un juste persécute un méchant, Dieu est du côté de qui est persécuté.»

Les intellectuels français, eux, ne se positionnent pas toujours ainsi. Le silence de certains d'entre eux depuis le déclenchement de la seconde Intifada est assourdissant. D'autres se sont engagés dans des combats douteux. Dans une hallucinante tribune (*Libération*, 10 juillet 2001), trois d'entre eux, Marc Lefevre, Philippe Gumplowicz et Pierre-André Taguieff, soutenus par une dizaine de leurs collègues, dénoncèrent la visite de solidarité d'une délégation qui comprenait notamment José Bové dans les territoires occupés. Le surtitre résumait le propos : «Les malheurs des Palestiniens viennent de leur direction politique corrompue et non des colons israéliens, comme l'affirme le leader syndical [José Bové].» Les 400000 colons? Seule une petite minorité d'entre eux – 30000 – sont des fanatiques religieux. Pourquoi s'inquiéter? Ils seront évacués le moment venu. La répression israélienne? Elle n'est pas même évoquée, les signataires dénoncent uniquement les attentats «barbares». «Les bases d'un accord définitif pour solde de tout compte» ? Elles ont été définies à Taba en janvier 2001, écrivent les auteurs, ce qui est vrai; seul Arafat n'a pas voulu se saisir de cette chance, ce qui est mensonger (lire chapitre VI). À moins que ce ne soit pure ignorance érigée en argument théorique. Une solution fondée sur deux États est la seule possible? Nous sommes ébahis d'entendre qu'Ariel Sharon «l'admet également quand les micros sont débranchés». Sans doute comme l'Afrique du Sud de l'apartheid acceptait l'indépendance des bantoustans... Le jour de la parution de ce texte, l'armée israélienne détruisait une vingtaine de maisons palestiniennes à Jérusalem et dans la bande de Gaza. Nombre de familles se retrouvaient à la rue. Mais pourquoi s'inquiéter, ces maisons seront reconstruites un jour...

Allant plus loin encore, si cela est possible, plusieurs centaines de personnes, de Pierre-André Taguieff à Michèle Tribalat, ont signé un appel, en pleine opération «Remparts», en avril 2002, alors que l'armée israélienne se rendait coupable, selon plusieurs organisations humanitaires internationales, de «crimes de guerre». Cet appel s'intitulait : «Israël : le droit de légitime défense» (*Le Monde*, 12 avril 2002). Durant la bataille d'Alger, quand les parachutistes dirigés par Massu et Bigeard «cassaient» du fellagha et généralisaient l'usage de la torture, des dizaines d'intellectuels se mobilisaient en faveur de l'«honneur de l'armée française», souillé par ceux qui dénonçaient les crimes commis au nom de la République. Ne fallait-il pas extirper le terrorisme du FLN, qui multipliait les attentats contre les civils européens ? Mais, à l'époque, ces intellectuels revendiquaient clairement leur appartenance à la droite ou à l'extrême droite...

Décidément, le conflit israélo-palestinien semble brouiller toutes les valeurs. Ainsi, sur les massacres de centaines de réfugiés palestiniens à Sabra et Chatila, au Liban, en septembre 1982, Pierre-André Taguieff, toujours lui, écrit dans *La Nouvelle Judéophobie* : «Sur la base d'un fait mal établi [*sic!*] et volontairement mésinterprété (à Sabra et Chatila, ce sont des chrétiens libanais qui, en réaction aux multiples exactions des Palestiniens sur leur sol [« en réaction» : en fait, les victimes seraient responsables de leur mort!], se sont vengés sauvagement), une série d'amalgames polémiques s'est mise en place, [comme] Sharon "le boucher" [...].» Notre auteur semble avoir oublié qu'une commission israélienne elle-même a reconnu la «responsabilité personnelle» de Sharon dans ce massacre. Il a alors été poussé à la démission de son poste de ministre de la Défense... Mais la guerre qu'il a déclenchée en 1982, après un an de calme sur la frontière israélo-libanaise, a fait entre 15000 et 20000 morts libanais et palestiniens...

On applique à ce petit territoire de Palestine-Israël d'autres principes, d'autres règles d'analyse que ceux que l'on utiliserait ailleurs. Des intellectuels éminents, prompts à se mobiliser pour d'innombrables causes, renâclent quand il s'agit de la Palestine. Même un homme comme Jean-Paul Sartre, dont les positions généreuses sur la guerre d'Algérie ou sur la lutte des Noirs américains sont connues, était pour le moins timoré sur le Proche-Orient. Souvent inconsciemment, nous utilisons à propos de cette région la règle du « deux poids, deux mesures ». « Vers l'Orient compliqué, je m'envolais avec des idées simples », a écrit Charles de Gaulle. Cette formule rabâchée sert souvent à justifier des prises de position en contradiction avec les valeurs universelles. Envolons-nous plutôt vers cet Orient compliqué avec la boussole de la raison humaine.

Chapitre II

Le conflit se noue (1917-1939)

Un monde s'effondre en 1917. La Première Guerre mondiale entre dans sa dernière année. Les Empires ottoman et austro-hongrois n'y survivront pas. La Russie tsariste est déjà morte et les bolcheviks s'apprêtent à prendre le palais d'Hiver et à instaurer un régime dont la durée de vie coïncidera avec ce que les livres d'histoire désignent comme le XXe siècle. En ce 2 novembre 1917, lord Arthur James Balfour, ministre du puissant Empire britannique, met la dernière touche à sa lettre. Hésite-t-il un instant avant d'y apposer son paraphe ? Est-il saisi d'une sombre prémonition ? Sans doute pas, car ce texte, plus connu sous le nom de « déclaration Balfour », a été longuement débattu par le gouvernement de Sa Majesté. Celui-ci déclare qu'il « envisage favorablement l'établissement en Palestine d'un foyer national pour le peuple juif et emploiera tous ses efforts pour faciliter la réalisation de cet objectif ». La déclaration, qui, dans une première version, évoquait la « race juive », précise que, pour la réalisation de cet objectif, « rien ne sera fait qui puisse porter atteinte ni aux droits civils et religieux des collectivités non juives existant en Palestine, ni aux droits et au statut politique dont les juifs jouissent dans tout autre pays ». Comment créer un foyer national juif sans affecter les populations locales arabes ? Cette contradiction, la Grande-Bretagne ne pourra jamais la résoudre, et elle sera à l'origine du plus long conflit qu'ait connu le monde contemporain.

Promesses contradictoires de Londres

La déclaration Balfour répond à plusieurs préoccupations du gouvernement de Londres. Tout d'abord, alors que la guerre s'intensifie sur le continent, il s'agit de se gagner la sympathie des juifs du monde entier, perçus comme disposant d'un pouvoir considérable, souvent occulte. Cette vision, ironie de l'Histoire, n'est pas éloignée de celle des pires antisémites qui détectent, partout, «la main des juifs». Ainsi, le Premier Ministre britannique de l'époque évoque dans ses Mémoires la puissance de la «race juive», guidée par ses seuls intérêts financiers. Lord Balfour lui-même avait été le promoteur, en 1905, d'un projet de loi sur la limitation de l'immigration en Grande-Bretagne, qui visait avant tout les juifs de Russie. Mark Sykes, l'un des négociateurs des accords qui partagèrent le Proche-Orient en 1916, écrivait à un dirigeant arabe : «Croyez-moi, car je suis sincère lorsque je vous dis que cette race [les juifs] vile et faible est hégémonique dans le monde entier et qu'on ne peut la vaincre. Des juifs siègent dans chaque gouvernement, dans chaque banque, dans chaque entreprise.» La lettre de Balfour est envoyée à lord Walter Rothschild, l'un des représentants du judaïsme britannique, proche des sionistes.

Qu'est-ce que le sionisme? J'y reviendrai dans le chapitre suivant. Bornons-nous pour l'instant à dire que ce mouvement réclame la «renaissance nationale du peuple juif» et son «retour» sur la terre de Palestine.

La missive Balfour s'adresse particulièrement aux juifs américains, soupçonnés de sympathie pour l'Empire austro-hongrois, l'allié de l'Allemagne, et aux juifs de Russie, influencés par les organisations révolutionnaires qui ont renversé le tsar au printemps 1917. Nombre d'entre eux sont favorables à ce que la Russie signe une paix séparée avec l'ennemi. Londres espère éviter le «lâchage» de son allié. Balfour évoque même la mission qui serait confiée aux juifs en Palestine : faire que les juifs du monde se comportent «convenablement» ! Ce calcul échouera puisque, dans la nuit du 6 au 7 novembre 1917, les insurgés bolcheviks s'emparent du pouvoir à Petrograd et appellent à la paix immédiate.

Mais la Grande-Bretagne, en confortant le mouvement sioniste, poursuit également un objectif plus stratégique : le contrôle du Proche-Orient. Le dépeçage des vaincus est négocié par Paris, Londres et Moscou, alors même que la victoire n'est pas acquise. En 1916 sont signés par Paris et Londres, puis ratifiés par le tsar, les accords connus sous le nom de Sykes-Picot (Mark Sykes et Georges Picot sont deux hauts fonctionnaires, l'un britannique, l'autre français) qui définissent les lignes de partage et les zones d'influence au Proche-Orient. Pour Londres, la Palestine «protège» le flanc est du canal de Suez, ligne vitale entre les Indes, le fleuron de l'Empire, et la métropole. Le parrainage accordé au sionisme permet au gouvernement britannique d'obtenir un contrôle total sur la Terre sainte.

Mais les Britanniques ne se sont pas contentés de promesses au mouvement sioniste, ils en ont fait aussi aux dirigeants arabes. Le calife ottoman (il exerce son autorité sur les territoires arabes du Proche-Orient et il est le « Commandeur des croyants ») s'est joint en 1914 à l'Allemagne et à l'Empire austro-hongrois. Il a même lancé un appel à la guerre sainte contre les Infidèles. Pour riposter, Londres suscite une révolte des Arabes contre l'Empire ottoman, animée par un dirigeant religieux, le chérif Hussein de La Mecque. En échange, Hussein obtient l'engagement britannique d'appuyer l'indépendance des Arabes. Mais les promesses n'engagent que ceux qui y croient... Comment, en effet, concilier l'indépendance arabe et la création d'un foyer national juif? La révolte arabe deviendra célèbre dans une version bien déformée forgée par l'un des agents britanniques qui y jouèrent un rôle capital, Thomas E. Lawrence, dit « Lawrence d'Arabie ». Ce récit, *Les Sept Piliers de la sagesse*, sera porté au cinéma par David Lean, et Peter O'Toole incarnera Lawrence.

Le mandat britannique sur la Palestine

Le Proche-Orient sera donc partagé entre la France et la Grande-Bretagne. Créée en 1920, la

Société des Nations (SDN), l'ancêtre des Nations unies, ne regroupe alors que quelques dizaines d'États, européens pour la plupart. Elle instaure le système des «mandats», que sa charte définit ainsi : «Certaines communautés, qui appartenaient autrefois à l'Empire ottoman, ont atteint un degré de développement tel que leur existence comme nations indépendantes peut être reconnue provisoirement, à la condition que les conseils et l'aide d'un mandataire guident leur administration jusqu'au moment où elles seront capables de se conduire seules.» Ainsi, des peuples considérés comme «mineurs» auraient besoin de tuteurs pour accéder un jour, peut-être, à la majorité...

Le 24 juillet 1922, la SDN octroie à la Grande-Bretagne le mandat sur la Palestine. Le texte prévoit que la puissance mandataire sera «responsable de la mise à exécution de la déclaration originairement faite le 2 novembre 1917 par le gouvernement britannique et adoptée par [les puissances alliées] en faveur de l'établissement d'un foyer national pour le peuple juif». Les fils du chérif Hussein, étroitement contrôlés par Londres, s'installent sur les trônes d'Irak et de Transjordanie (pays créé par les Britanniques à l'est du Jourdain), tandis que les territoires libanais et syrien tombent dans l'escarcelle de la France. L'Égypte, formellement indépendante depuis 1922, reste sous occupation britannique.

Tous les acteurs du drame palestinien sont en place : la puissance dominante, la Grande-Bretagne, qui souhaite maintenir son contrôle sur une région stratégique, riche en pétrole, dont le rôle économique et militaire grandit; le mouvement sioniste, fort de son premier grand succès diplomatique, qui organise l'immigration en Palestine; les Arabes de Palestine, que l'on ne désigne pas encore sous le nom de «Palestiniens», qui commencent à se mobiliser contre la déclaration Balfour; enfin les pays arabes, pour la plupart sous influence britannique, qui vont s'impliquer graduellement dans les affaires palestiniennes.

Une terre sans peuple?

À quoi ressemble la Palestine? Est-ce «une terre sans peuple, pour un peuple sans terre», comme l'affirment les sionistes? Les plus lucides d'entre eux adoptent une vision plus réaliste. Parmi eux, un juif russe, Asher Ginzberg, honoré partout en Israël sous le nom d'«Ahad Ha'am», se rend pour la première fois en Palestine en 1891. Il en ramène un article prémonitoire intitulé «Vérité de la terre d'Israël». «Nous avons l'habitude de croire, écrit-il, hors d'Israël, que la terre d'Israël est aujourd'hui presque entièrement désertique, aride et inculte, et que quiconque veut y acheter des terres peut le faire sans entrave. Mais la vérité est tout autre. Dans tout le pays, il est dur de trouver des champs cultivables qui ne soient pas cultivés [...]. Nous avons l'habitude de croire, hors d'Israël, que les Arabes sont tous des sauvages du désert, un peuple qui ressemble aux ânes, qu'ils ne voient ni ne comprennent ce qui se fait autour d'eux. Mais c'est là une grande erreur. L'Arabe, comme tous les fils de Sem, a une intelligence aiguë et rusée [...]. S'il advient un jour que la vie de notre peuple [les juifs] dans le pays d'Israël se développe au point de repousser, ne fût-ce qu'un tout petit peu, le peuple du pays, ce dernier n'abandonnera pas sa place facilement. »

Car, c'est un fait, la terre de Palestine est habitée en grande majorité par des Arabes : 600 000 musulmans et 70 000 chrétiens (80 000 juifs y vivent aussi). Les paysans – les fellahs – représentent près de 60 % de la population active et un tiers ne possède aucune propriété. Plus de la moitié des terres appartiennent à un nombre restreint de familles terriennes (moins de 10 % des propriétaires), pour l'essentiel musulmanes, qui jouissent d'une influence dominante dans les campagnes. Dans les villes aussi, mais les grandes familles chrétiennes y jouent également un rôle actif. Malgré le lourd passé ottoman – les dernières décennies d'hégémonie turque ont été marquées par l'impéritie, la corruption, le despotisme –, la région est économiquement vivante. Connue pour ses agrumes (ses oranges sont déjà célèbres en Europe), elle produit aussi du blé et d'autres céréales. Une industrie manufacturière se développe. Des classes moyennes s'affirment dans les villes, qui restent toutefois de taille modeste, à l'exception de Jérusalem, qui compte plus de 50 000 habitants. Depuis des décennies, les pèlerinages alimentent une industrie du tourisme, à Jérusalem bien sûr, mais aussi à Bethléem et à Nazareth. Au début du siècle, la vie intellectuelle et politique est en plein essor, avec la naissance d'une presse, notamment *Al Karmel* à Haïfa et *Filastin* à Jaffa.

En Palestine, l'opposition au projet sioniste s'est manifestée avant même la guerre. Elle se traduit concrètement par le rejet de ces « envahisseurs », dont les mœurs et le mode de vie sont totalement étrangers et dont le comportement est souvent caractérisé par le racisme et le mépris pour les « barbares ». Dès les années 1880, les achats de terres à des propriétaires absentéistes, qui vivent à Beyrouth ou à Constantinople, suscitent des résistances d'autant plus grandes qu'ils sont vite perçus comme des tentatives de dépossession.

L'occupation de Jérusalem par la Grande-Bretagne le 9 décembre 1917, l'effondrement de l'Empire ottoman et la «révélation» de la promesse Balfour accentuent les inquiétudes des Palestiniens. Avec l'instauration du mandat britannique sur la Palestine en 1922 et la «fixation» des frontières, ils mènent désormais le combat à l'intérieur de la Palestine mandataire et le mouvement national palestinien, au moins jusqu'à la grande révolte de 1936-1939, devra compter sur ses propres forces. Les Palestiniens réclament «la formation d'un gouvernement national qui sera responsable devant un parlement élu par tous ceux qui résidaient en Palestine avant la guerre, musulmans, chrétiens et juifs». Mais il est déjà trop tard. Le mandat britannique se met en place, une page s'ouvre.

Le Yishouv *: immigration, achat des terres et organisation politique*

Jusqu'en 1939, la Grande-Bretagne favorise sans restriction l'installation des juifs en Palestine et leur organisation autonome. Dès la conquête de Jérusalem en 1917 se met en place une administration indépendante sioniste, aux côtés de l'administration britannique. Le *Yishouv* (nom donné à la communauté juive installée en Palestine) entame sa marche vers l'État. Le texte du mandat prévoit la création d'une Agence juive, interlocuteur de l'autorité mandataire. Celle-ci sera un véritable gouvernement parallèle, qui s'attellera notamment à l'accélération de l'immigration : les Britanniques admettant que les sionistes sont seuls compétents à choisir les candidats, les formalités s'opéreront dans les locaux du mouvement sioniste dans le monde, non dans les consulats britanniques.

Qui sont ces immigrants ? Pour l'essentiel, ils arrivent de Russie et d'Europe centrale, fuyant les pogroms. Encadrés par des militants convaincus, ils espèrent bâtir une vie nouvelle. Pourtant, les chiffres de l'immigration, au moins jusqu'à l'arrivée de Hitler au pouvoir en 1933, illustrent les difficultés du mouvement sioniste à mobiliser les masses juives. «L'an prochain à Jérusalem» : ce slogan relève davantage de l'incantation religieuse que du mot d'ordre politique. Entre 1919 et 1923, l'immigration représente à peine 35 000 personnes. Elle s'accélère un peu en 1924-1925, date du début d'une politique antijuive en Pologne et surtout de l'adoption par les États-Unis de mesures restreignant l'immigration, avant de chuter du fait de la crise économique en Palestine. En 1927, on compte même plus d'émigrants juifs de Palestine que d'immigrants. En 1928, 155 000 juifs sont installés en Palestine alors que, entre 1870 et 1927, le nombre des juifs aux États-Unis passe de 250 000 à… 4 millions. Laissés libres de leurs choix, la grande majorité des juifs de Russie et de l'Est préfèrent, comme les Irlandais ou les Italiens, le Nouveau Monde à la Terre sainte.

À travers le Fonds national juif, l'achat de terres est l'un des objectifs – et l'un des moyens – essentiels du mouvement sioniste. Comme le remarque en 1925 un mémorandum du Fonds, on ne peut parler en Palestine d'une «colonisation en terre vierge» puisqu'il existe déjà des paysans autochtones; on ne peut non plus «exproprier ceux-ci par les procédés sommaires employés dans les colonies de conquête», comme en Algérie. Les domaines acquis sont rétrocédés à des particuliers mais restent «propriété inaliénable du peuple juif». Le travail exclusivement juif est encouragé, les fellahs poussés dehors. Des colonies agricoles se créent et les fameux kibboutz se mettent en place, le premier en 1910, à Degania. En 1920 est fondée la Haganah, une organisation de milices juives, l'embryon de la future armée israélienne.

Le *Yishouv* impose la langue hébraïque, au détriment du yiddish parlé par la majorité des émigrés d'Europe de l'Est, et s'organise politiquement. Les Britanniques autorisent dès 1920 l'élection d'une sorte de parlement, avec son propre exécutif, le *Vaad Leumi* (Conseil national). Alors que dans les années 1920 le centre de décision du mouvement sioniste est encore à l'extérieur, dès le milieu des années 1930 il passe au *Yishouv*. Toutes ces institutions, bien organisées, bénéficient du soutien de la puissance coloniale. C'est presque « naturellement » qu'elles se transformeront en 1948 en un État moderne et efficace.

Le courant socialiste ne cesse de progresser aux élections (plus de 40 % des suffrages dans les années 1930) et son dirigeant, David Ben Gourion, devient président de l'Agence juive en 1935. Une opposition est fondée en 1925 par Zeev Jabotinsky. Elle est dite « révisionniste » car elle a demandé à ce que le mandat soit révisé pour couvrir les deux rives du fleuve Jourdain, c'est-à-dire que les juifs aient le droit de s'installer aussi en Transjordanie. En quoi se distinguent les courants socialiste et révisionniste ? Au-delà de discours antagonistes sur la question sociale et de divergences importantes sur la tactique – le premier, plus pragmatique, prône une entente avec la Grande-Bretagne –, les socialistes acceptent le principe du partage de la Palestine tandis que les révisionnistes affirment que la terre est « inaliénable », revendiquant aussi, plus ouvertement, l'expulsion des Palestiniens.

Face au *Yishouv*, les Palestiniens ne disposent pas de nombreux atouts, si ce n'est celui du nombre. Mais, à l'inverse de ce qui se passe dans d'autres colonies, l'immigration va petit à petit les priver de ce seul avantage. L'unité des Palestiniens pour rejeter le mandat et la promesse Balfour ne dure pas. Les Britanniques attisent les dissensions entre les grandes familles palestiniennes, notamment les Nashashibi, plus proches d'eux, et les Husseini – Amine El Husseini deviendra le grand mufti de Jérusalem. Ces contradictions aboutissent à l'éclatement des structures unitaires palestiniennes et à une paralysie stratégique. D'un côté, les organisations palestiniennes refusent les propositions de la puissance mandataire de former une assemblée qui ne refléterait pas les équilibres démographiques ; elles rejettent également la mise en place d'une Agence arabe (pendant de l'Agence juive), qui reviendrait à légitimer le droit politique des juifs sur la Palestine. De l'autre, elles ne parviennent pas à s'entendre sur une orientation, hésitent à affronter directement la politique pleine de duplicité de la Grande-Bretagne, s'égarent – mais comment pourrait-il en être autrement ? – dans les arcanes de la diplomatie internationale dominés par les Occidentaux ? Pourtant, la frustration des masses palestiniennes s'exprime dans des émeutes, mélanges de jacqueries paysannes, de pogroms et de coups de main contre les Britanniques – ainsi celles qui éclatent en août 1929 à Jérusalem, à propos, déjà, du contrôle des Lieux saints. Elles s'étendent dans le pays, notamment à Hébron où près de 80 juifs appartenant à des familles installées dans la ville depuis des générations sont massacrés dans des conditions atroces. Mais c'est durant ce pogrom que, comme le rappelle l'historien israélien Tom Segev, de nombreux juifs sont sauvés par des musulmans : « L'histoire juive, note-t-il, recèle peu de faits de salut collectif de ce genre. »

Pourtant, un fossé sépare « autochtones » et « colons ». Pour les Arabes, le débarquement d'immigrants armés d'un projet politique cohérent est perçu comme une menace à leur existence même. Ces « étrangers » les expulsent de leurs terres et veulent y créer un État juif. Pour les immigrants juifs, convaincus souvent de débarquer sur une « terre sans peuple », les Arabes sont, au mieux, des « sauvages » en marge de la civilisation. Ayant fui les pogroms, ils perçoivent leurs attaques comme la continuation des persécutions dont ils ont été victimes sur le Vieux Continent.

Une longue révolte (1936-1939)

L'accélération de l'immigration à la suite de l'accession de Hitler au pouvoir radicalise les oppositions. C'est dans ce contexte qu'éclate la grande révolte de 1936-1939, qui coïncide avec le développement du mouvement nationaliste antibritannique et antifrançais dans le monde arabe. Un homme préfigure cette révolte : fils de paysan, musulman convaincu, prédicateur dans une mosquée de Haïfa, il s'appelle Ezzedine El Qassam. S'il condamne les violences aveugles de 1929, il prépare la lutte armée. « Obéissez à Dieu et à son prophète, mais pas au haut-commissaire britannique », prêche-t-il. Ses funérailles (il est tué en 1935 après avoir pris le maquis) donnent lieu à de grandes manifestations. « Nous sommes les petits-fils de Qassam », proclame l'un des premiers communiqués de la révolte des pierres qui éclate en Palestine en décembre 1987. Continuité de l'Histoire...

En 1936 est créé le Haut Comité arabe qui, pour la première fois, regroupe l'ensemble des tendances et des partis palestiniens. Il sera présidé par Amine El Husseini. Le 15 avril 1936, le pays se lance dans une grève générale. Les rebelles revendiquent notamment l'arrêt de l'immigration juive. Désobéissance civile, refus de payer l'impôt, manifestations scandent le mouvement tandis que se multiplient les actions de guérilla. La grève dure 170 jours. Chaïm Weizmann, président de l'Organisation sioniste depuis 1920 et futur premier président d'Israël, écrit : « D'un côté les forces de la destruction, les forces du désert, se développent, de l'autre tiennent fermement les forces de la civilisation et de la construction. C'est la vieille guerre du désert contre la civilisation, mais nous ne céderons pas. » La civilisation contre la barbarie, la vieille antienne du colonialisme...

Le mouvement s'arrête à la suite d'un appel commun des souverains de l'Arabie saoudite, de la Transjordanie et de l'Irak « à faire confiance aux bonnes intentions de notre amie, la Grande-Bretagne ». Londres dépêche sur place une commission d'enquête qui, le 7 juillet 1937, remet son rapport, connu sous le nom de « rapport Peel ». Le texte propose la partition de la Palestine en deux États, l'un juif, l'autre arabe, tous deux devant accéder à l'indépendance mais Jérusalem et sa région restant sous mandat britannique. Il conseille aussi, pour la première fois, un échange de population pour permettre l'homogénéité de chacune des entités : 225 000 Arabes passeront de l'entité juive à l'entité arabe, alors que 1 250 juifs feront le trajet inverse ! Si cette « offre généreuse » n'est pas acceptée par les Arabes, elle leur sera imposée...

Indignés, les Palestiniens relancent leur mouvement dès le mois de septembre 1937. Cette fois, c'est une véritable révolte populaire armée, avec des centaines de groupes menant des actions à la fois contre les forces britanniques et contre les colonies juives. Malgré l'absence de direction centralisée, malgré les divisions, malgré le faible armement, la résistance continuera jusqu'en 1939 et mobilisera plusieurs milliers de soldats de Sa Majesté. Ce n'est qu'après octobre 1938 et les accords de Munich, qui éloignent pendant un temps la menace d'une guerre en Europe, que Londres peut envoyer suffisamment de troupes pour mater les rebelles. Cette révolte influera durablement sur les trois parties en conflit, les Palestiniens, les juifs et les Britanniques.

Le bilan est tragique dans les rangs arabes : de 3000 à 6000 tués et des milliers d'arrestations et de déportations – on compte 9000 prisonniers en 1939. Entre 1936 et 1940, 2000 maisons sont détruites par les autorités, une pratique qui sera reprise par le gouvernement israélien à partir de 1967 dans les territoires occupés. Les Palestiniens sont privés de toute direction. Les haines et les rancœurs nées des affrontements internes perdureront de longues années. Pour le meilleur, mais le plus souvent pour le pire, les pays arabes prendront en charge la revendication palestinienne, faisant passer leurs propres intérêts avant ceux de la population locale.

Du côté des colons juifs, la révolte renforce, paradoxalement, l'infrastructure édifiée en Palestine et les fondements déjà bien établis de l'État en gestation. Elle entraîne un resserrement de la collaboration entre l'Agence juive et les Britanniques. Des milliers de policiers juifs sont recrutés. On assiste à un étoffement de la Haganah et à la création de nouvelles unités armées plus mobiles, parfois entraînées par des officiers britanniques. Des usines clandestines d'armement se mettent en place. Même freinée, l'immigration continue, avec environ 50000 nouveaux arrivants durant ces trois années de «troubles». D'autre part, et pour la première fois, des groupes sionistes utilisent l'arme du terrorisme aveugle. L'Irgoun, l'organisation militaire qui dépend du mouvement «révisionniste», passe à l'action le 11 novembre 1937, faisant exploser des bombes dans des lieux publics. Le 6 juillet 1938, à Haïfa, une bombe tue 21 personnes dans le marché arabe; le 25 juillet 1938, une autre fait une quarantaine de morts.

Le Livre blanc

Enfin, la Grande-Bretagne infléchit sa stratégie. La guerre avec l'Allemagne, inévitable, sera longue et globale. Il faut donc absolument assurer les assises de l'Empire au Proche-Orient où s'infiltre une pernicieuse propagande nazie antibritannique, s'appuyant sur la conviction que «les ennemis de mes ennemis sont mes amis». Convaincue de pouvoir compter sur le soutien juif contre Hitler, Londres décide d'obtenir celui des Arabes en adoptant, le 17 mai 1939, un Livre blanc, qui définit sa nouvelle politique : «La déclaration Balfour, peut-on y lire, ne pouvait en aucun cas signifier que la Palestine serait transformée en un État juif, contre la volonté de la population arabe.» Par ailleurs, les engagements pris par les Britanniques durant la Grande Guerre ne peuvent «fournir une juste base à la revendication en faveur d'une Palestine transformée en un État arabe». Il faut donc prévoir, d'ici à cinq ans, l'établissement d'un État palestinien indépendant «dans lequel les Arabes et les juifs partageront l'autorité dans le gouvernement de telle manière que les intérêts essentiels de chacun soient sauvegardés». Plus important, l'immigration sera maintenue durant cinq ans à un niveau qui portera la population juive au tiers de la population totale (soit environ 75 000 personnes supplémentaires), puis ne sera plus autorisée qu'avec l'accord des Arabes de Palestine. Enfin, le haut-commissaire britannique reçoit tous les pouvoirs pour réglementer les transferts de terre, c'est-à-dire limiter son achat par les juifs. Victoire partielle pour les Palestiniens, mais le mufti Amine El Husseini rejette le Livre blanc, démontrant une nouvelle fois son faible sens politique. En revanche, ce texte déclenche une levée de boucliers de la part des organisations sionistes, dont les plus extrémistes prônent désormais la lutte armée contre le «colonialisme britannique». Mais l'Agence juive n'a d'autre choix que de déclarer son appui à Londres dans le conflit qui s'engage. La guerre, déclare-t-elle le 3 septembre 1939, est notre guerre et nous voulons la victoire de l'Empire britannique. Une terrible épreuve pour l'humanité et pour les juifs commence.

CHAPITRE III

Du judaïsme au sionisme

Faisons une pause dans ce survol de l'Histoire. J'ai évoqué, dans le précédent chapitre, les juifs et le début du mouvement sioniste. Pour aller plus loin, il faut répondre à deux interrogations simples, au moins en apparence. Que désigne le terme «juif»? D'autre part, les juifs forment-ils une nation?

Qui est juif?

Le 5 juillet 1950, le Parlement israélien adopta la «loi du retour». Elle stipulait que «tout juif a le droit d'immigrer dans le pays». David Ben Gourion, le Premier ministre, commentait : «Ce n'est pas l'État qui accorde aux juifs de l'étranger le droit d'installation, mais ce droit est en chaque juif dans la mesure où il est juif.» Mais comment «mesurer» la judaïté? Il faut attendre 1970 pour que la Cour suprême en propose une définition : est juif celui qui est né d'une mère juive, ou s'est converti au judaïsme et n'appartient pas à une autre religion. Cet arrêt n'a pas mis fin aux controverses : les conversions posent problème puisque celles effectuées par les rabbins conservateurs ou libéraux ne sont pas reconnues par le rabbinat orthodoxe d'Israël. D'autre part, où classer les athées? Et comment définit-on une «mère juive» ? Une boutade affirme que, pour devenir une mère juive, il n'est besoin ni d'être mère, ni d'être juive... Plus sérieusement, nous savons que, sur les centaines de milliers d'anciens citoyens de l'Union soviétique installés en Israël depuis les années 1980, un tiers environ n'entretient aucune relation avec le judaïsme. De nationalité israélienne, ils servent pourtant dans l'armée, même si le rabbinat peut, comme lors de l'attentat contre le dancing de Tel-Aviv (juin 2001), refuser à certains de ces «juifs incertains» l'enterrement en «Terre sainte».

Les antisémites n'ont pas été plus heureux dans leur tentative de définir la judaïté. En septembre 1935, les nazis adoptent les lois de Nuremberg, expression de leur vision raciale et délirante de l'humanité. Elles définissent comme juifs ceux dont trois ou quatre grands-parents sont juifs. Sont désignés comme «métis juifs» de premier degré ceux qui ont deux grands-parents de sang allemand et deux de sang juif; s'ils appartiennent à la religion juive ou sont intégrés à la communauté juive, notamment par le mariage, ils sont considérés comme juifs. Les métis de second degré ont trois grands-parents allemands et un de sang juif; ils peuvent devenir citoyens du Reich. Mais comment détecter le «sang juif» ? Dans les faits, les nazis, adeptes des théories raciales, oscillent dans leur recherche de «signes distinctifs», font souvent prévaloir une détermination religieuse, prennent parfois en compte la circoncision, parfois le nom, etc. La «version française» de cette loi (statut des juifs du 3 octobre 1940) affirme que sont de «race juive» ceux ayant «appartenu à la religion juive».

Hannah Arendt, philosophe allemande elle-même juive, dresse, dans une lettre de 1961 à son mari, un parallèle dévastateur – qui la brouille d'ailleurs avec quelques-uns de ses amis israéliens – entre les lois de Nuremberg et celles de l'«État juif». Elle relate un dîner avec Golda Meir, ministre israélienne des Affaires étrangères : «Nous nous sommes disputées jusqu'à une heure du matin [...]. Au fond, surtout, la question de la Constitution, de la séparation de l'Église et de l'État, des mariages mixtes ou plus exactement de ces lois de Nuremberg qui existent actuellement et qui sont en partie vraiment monstrueuses.» Du danger de creuser une ligne de démarcation entre les juifs et les Autres, de faire des juifs une entité à part...

Pendant que j'écrivais ces lignes, j'ai appris la mort d'un ami très cher : Chehata Haroun. Il était égyptien et juif. Très jeune, dans les années 1940, cet avocat avait rejoint le combat communiste. Il refusa obstinément d'émigrer en Israël ou en Europe, comme le firent la plupart de ses coreligionnaires. Sur sa tombe, on a lu ces quelques lignes qu'il avait rédigées : «Chaque être humain a plusieurs identités. Je suis un être humain. Je suis égyptien lorsque les Égyptiens sont opprimés. Je suis noir lorsque les Noirs sont opprimés. Je suis juif lorsque les juifs sont opprimés et je suis palestinien lorsque les Palestiniens sont opprimés.» Il déclinait toute appartenance «étroite», toute assignation à une identité figée, excluante. Il mena dans son pays un combat rude, parfois douloureux. Il fut arrêté à plusieurs reprises comme communiste mais aussi comme juif, «donc» agent potentiel d'Israël. Il suscita même parfois la méfiance de certains de ses camarades de gauche, incapables de faire la différence entre «juif» et «sioniste».

Ainsi, gardons-nous bien des classifications et des logiques philosophiques qui les nourrissent. Maxime Rodinson, un éminent orientaliste, a tenté d'éclairer les ténèbres de l'obscurantisme dans l'introduction à son ouvrage *Peuple juif ou problème juif ?* Il dépeint les quatre groupes distincts que recouvre le terme « juif ». D'abord, les fidèles d'une religion nettement définie – on dit « juif » comme on dirait « musulman » ou « chrétien ». Un deuxième groupe est constitué par les descendants des membres de cette religion qui sont désormais athées ou déistes mais se considèrent comme appartenant à une sorte de « communauté ethnico-nationale », voire à un peuple. La troisième catégorie est formée par ceux qui ont rejeté les liens aussi bien religieux que communautaires, mais que les autres considèrent, au moins à certains moments, comme juifs. Dernière catégorie, la plus insolite, celle que l'écrivain Roger Peyrefitte baptisait joliment « juifs inconnus », ceux dont l'ascendance juive est ignorée par les autres et par eux-mêmes.

Qu'est-ce qu'une nation ?

Les juifs composent donc un ensemble hétérogène, qui ne se laisse pas appréhender facilement. Ils diffèrent en partie de l'ensemble «chrétien» ou «musulman», et pas seulement parce qu'ils ont toujours été – j'y reviendrai – presque partout minoritaires. Forment-ils pour autant une «nation» ? Pour le mouvement sioniste, la réponse va de soi : les juifs sont inassimilables par les peuples au sein desquels ils vivent, ils aspireraient depuis 2000 ans à retourner en Palestine d'où ils ont été chassés. Pourquoi alors cette ambition ne s'est-elle pas manifestée en termes politiques avant le XIXe siècle? Le sionisme élude la question, qui a pourtant le mérite d'inscrire les juifs dans l'histoire concrète et non dans le ciel des idées.

Pendant le Moyen Âge, le terme «nation» se comprend à partir de son étymologie, *nasci* («naître») : une nation est un ensemble d'individus nés dans un même lieu et à qui l'on attribue une origine commune. Ce mot, explique l'historienne Suzanne Citron, «pouvait aussi désigner une communauté de religion. Jusqu'à la Révolution on parlait, en France, de la "nation juive". [...] La langue, la religion sont, parmi d'autres, des éléments de l'identité collective que les anthropologues désignent aujourd'hui par le mot "culture". La "nation" au sens ancien était donc avant tout culturelle». Cette dimension ethnico-religieuse subsiste en Europe de l'Est et balkanique ou au Proche-Orient.

La Révolution française marque l'émergence de la nation moderne fondée sur un ensemble de données permanentes et stables au cours des siècles : communauté de territoire, de langue, d'histoire, de culture. Ernest Renan, l'un des intellectuels les plus influents de la IIIe République, dans une célèbre conférence prononcée à la Sorbonne le 26 mars 1882 et intitulée « Qu'est-ce qu'une nation ? », répondait : « Une nation est une âme, un principe spirituel. C'est l'aboutissement d'un long passé d'efforts, de sacrifices et de dévouement ; avoir des gloires communes dans le passé, une volonté commune dans le présent, avoir fait de grandes choses ensemble, vouloir en faire encore, voilà les conditions essentielles pour être un peuple. » Cette volonté commune s'exprime par la participation politique des citoyens dans un cadre unique, l'État.

Aucun critère « scientifique » ne permet d'établir si une communauté de personnes forme ou non une nation. Qu'en est-il des Corses ? ou des Bretons ? ou des Basques ? On ne sait pas définir une nation, remarque l'historien britannique Eric Hobsbawm, mais on sait repérer les mouvements nationalistes. Certains de ces mouvements réussissent, d'autres échouent. Dans le premier cas, la nation se cimente autour de l'État ; dans le second, elle se dissout, s'intègre à l'ensemble dominant, ou quelquefois résiste, comme dans le cas kurde.

Car, le plus souvent, la nation a eu besoin de l'État pour se réaliser pleinement, cet État qui unifie le marché national, éradique les particularismes, assure la loyauté de ses citoyens. Pour consolider un consentement des citoyens, souvent fragile au départ, l'État impose aussi une «histoire officielle» remontant aux «origines». Vercingétorix fut «inventé» par la IIIe République en quête de légitimation; la Roumanie de Nicolae Ceausescu se voulait descendante des Daces, une peuplade indo-européenne; des dirigeants de l'ex-Yougoslavie ont couvert leurs folles ambitions par des mythes historiques souvent grotesques. Malgré ces prétentions à l'éternité, les nations sont, répétons-le, des créations modernes, dont la préhistoire est plus souvent imaginée que réelle.

Existe-t-il donc un ensemble juif cohérent ayant traversé l'Histoire? Y a-t-il un rapport entre les juifs du royaume de Salomon au Xe siècle avant J.-C., ceux de Palestine au temps de l'Empire romain, ceux des ghettos de l'Empire tsariste, ceux d'Israël aujourd'hui? Les juifs, au cours des deux derniers millénaires, n'ont été liés ni par le territoire, ni par la langue – la plupart ont adopté le parler local, l'hébreu étant limité aux cérémonies religieuses –, ni par l'Histoire – les trajectoires des juifs au Maroc ou en France ne sont en rien parallèles –, ni par les coutumes – les juifs ont embrassé les coutumes locales (en Iran, jusqu'à aujourd'hui, ils se déchaussent en entrant dans les synagogues). En Europe de l'Est et en Russie aux XVIIIe et XIXe siècles, en revanche, ils ont acquis, ainsi que nous le verrons, des caractéristiques quasi nationales.

Les Hébreux : légende et histoire

À l'origine de l'histoire juive, on trouve l'un des textes les plus sacrés de l'humanité, la Bible, l'Ancien Testament pour les chrétiens. Il retrace la légende des Hébreux et de leur ancêtre, Abraham, un berger nomade de Mésopotamie.

«Le Seigneur dit à Abraham : Pars de ton pays, de ta famille et de la maison de ton père vers le pays que je te ferai voir. Je ferai de toi une grande nation et je te bénirai» (Genèse). Abraham s'installe à Sichem, une localité connue aujourd'hui sous le nom de Naplouse. Puis les Hébreux sont emmenés en Égypte où ils sont réduits en esclavage. Moïse, sauvé des eaux par la fille du pharaon et qui devient prince d'Égypte, les arrache à leur joug. Ils s'enfuient vers le XIVe siècle avant J.-C., errent dans le Sinaï où Moïse reçoit de Dieu les Dix Commandements.

Certaines études prétendent, comme le fait d'ailleurs Sigmund Freud dans plusieurs de ses textes sur Moïse, que ses partisans n'étaient autres que des fidèles d'Akhenaton, le pharaon qui instaura le culte d'Aton, le Dieu unique. On discerne une similitude entre l'hymne d'Akhenaton au dieu Soleil et le psaume 104 de la Bible, commençant par : «Bénis le Seigneur, ô mon âme», tous deux décrivant les bienfaits de la divinité.

Après avoir erré dans le désert, les Hébreux s'installent en Palestine, la terre promise par Dieu. Des royaumes s'édifient, notamment ceux de Saül, de David et de Salomon, autour du Xe siècle avant J.-C. Dans la nouvelle capitale, Jérusalem, s'élève le Temple, un sanctuaire majestueux à la gloire de Dieu. En 597 avant J.-C., Nabuchodonosor, souverain de Babylone, la conquiert et détruit le Temple; nombre de juifs sont chassés et réduits en esclavage avant d'être autorisés, en 537, sous le règne de Cyrus, à rentrer et à reconstruire le Temple. Jusque-là, nous baignons profondément dans la légende, même si elle reste «parole sacrée» dans l'enseignement en Israël. Selon l'un des plus éminents archéologues israéliens, Israël Finkelstein, «les Hébreux n'ont jamais été en Égypte, ils n'ont pas erré dans le désert, ils n'ont pas conquis la Terre promise. Les royaumes de David et de Salomon décrits dans la Bible comme des puissances régionales n'étaient que de petits royaumes tribaux». Ses recherches, et celles de son confrère Neil Asher Silberman, viennent d'être publiées en français (*La Bible dévoilée*).

Les Romains conquièrent la Palestine au Iᵉʳ siècle avant J.-C. En 70 après J.-C., Titus mène campagne pour mater la révolte des juifs contre Rome et s'empare de Jérusalem. Il tente de s'opposer à la destruction du Temple mais ses ordres ne sont pas suivis, comme Flavius Josèphe, historien juif rallié à Titus, l'enregistre dans *La Guerre des juifs* : «Ni l'exhortation, ni la menace ne retenaient l'élan des légions qui avançaient; tous se laissaient conduire par la seule colère.» À la suite d'une autre insurrection matée par Hadrien, soixante ans plus tard, Jérusalem est interdite aux juifs, qui cependant ne sont pas chassés de Palestine; leur exil, leur diaspora, a commencé bien plus tôt. Dès le Iᵉʳ siècle avant J.-C., on les retrouve dans tous les comptoirs de la Méditerranée occidentale. Ils représentent un tiers de la population d'Alexandrie. Beaucoup de ces communautés disparaîtront au cours de l'Histoire, se fondant dans les populations locales.

Le triomphe du christianisme – à l'origine une simple faction juive –, puis la conversion de l'empereur, et donc de l'Empire romain, inaugurent une ère distincte. Les juifs se retrouvent partout minoritaires, sauf entre le Caucase et la Volga, dans l'empire des Khazars, peuple d'origine incertaine dont la classe dirigeante embrasse le judaïsme au VIIIe ou au IXe siècle.

La condition des juifs varie au cours des siècles en fonction des pays, des circonstances, des alliances; la judéophobie aussi : elle n'est ni permanente, ni universelle. En Europe, jusqu'au XIe siècle, les juifs vivent au milieu de la population, sans ségrégation et sans assignation professionnelle. Ce n'est qu'à partir des Croisades qu'un certain nombre de professions, de même que la possession de terres, leur sont progressivement interdites. Certains se reconvertissent dans le prêt d'argent et le commerce international, favorisé par les contacts entre membres de la diaspora. Cette spécialisation dans des fonctions susceptibles d'attiser haines et convoitises en fait des boucs émissaires commodes pour les gouvernants. L'affirmation d'un fondamentalisme religieux catholique excite les persécuteurs. À partir de 1492, après la reconquête des royaumes musulmans d'Espagne, les juifs sont expulsés de la péninsule Ibérique. Nombre d'entre eux trouvent refuge dans l'Empire ottoman, notamment à Constantinople.

Car l'islam est souvent plus tolérant à leur égard. Mais pas toujours : les pouvoirs musulmans peuvent aussi, en période de troubles, en faire des boucs émissaires, comme ce fut le cas à Grenade en 1066 ou au Maroc en 1790. On trouve dans le Coran de nombreuses références aux juifs. Elles se rapportent aux alliances que le prophète Mahomet, exilé à Médine, tisse avec les tribus arabes juives (oui, il existe des Arabes juifs) de la ville. Au départ favorables, ces mentions s'infléchissent dans un sens plus négatif à mesure que Mahomet assoit son pouvoir et entre en opposition avec ces tribus, qui refusent de se convertir à la nouvelle foi. Selon les périodes, les autorités musulmanes mettent en avant l'interprétation ouverte ou fermée des textes sacrés. Avec, dans l'ensemble, jusqu'au XVIIIe siècle au moins, un bilan beaucoup plus positif que celui des empires chrétiens.

Pourquoi ces très diverses « entités juives » résistent-elles pendant des siècles ? Pourquoi la majorité des juifs n'est-elle pas assimilée par la société dominante ? Maxime Rodinson insiste sur l'importance du « caractère pluraliste de ces sociétés, l'insuffisance des forces unificatrices, le manque d'incitation véritable de l'idéologie prépondérante dans l'État à pousser le totalitarisme jusqu'à la destruction des idéologies rivales ». Surtout si ces minorités ne forment pas, comme le protestantisme en France au XVIe siècle, une menace politique contre le pouvoir en place. Le relatif quiétisme juif joue donc en faveur du maintien du groupe. Jusqu'à la création de l'État-nation moderne, de nombreux particularismes perdurent, aussi bien régionaux que linguistiques ou religieux.

La Révolution française va changer la donne. L'unification des nations s'accélère par la création d'un État fort et d'une économie intégrée, par l'affirmation d'un nationalisme moderne. Désormais, en Europe de l'Ouest au moins, les «communautés», religieuses ou régionales, tendent à se dissoudre, à perdre leurs caractéristiques – ce qui n'est pas le cas, jusqu'à aujourd'hui, dans le monde musulman, où l'individu est défini par son appartenance à une communauté religieuse. L'émancipation des juifs français par l'Assemblée constituante le 27 septembre 1791 favorise cette évolution. «La France est notre Palestine, écrit l'un d'eux, ses montagnes sont notre Sion, ses fleuves sont notre Jourdain. Buvons l'eau de ses sources, c'est l'eau de la liberté.» Persiste pourtant une hostilité catholique contre le «peuple déicide» (celui qui aurait crucifié Jésus-Christ).

Le XIXe siècle invente les «races»

La tendance à l'assimilation sera contredite par l'émergence d'une nouvelle forme d'animosité à l'égard des juifs, l'antisémitisme (le terme est inventé en 1873), et par le développement parallèle du mouvement sioniste. Au XIXe siècle, cette hostilité sera nourrie par l'invention d'une « science », celle des « races ». Une frénésie de « classification » des peuples s'empare du monde scientifique et intellectuel ; et qui dit classification dit souvent hiérarchisation. Elle sert de justification à l'aventure coloniale et à la « nécessaire » domination des Blancs. Jules Ferry expliquait en 1885 : « Je répète qu'il y a pour les races supérieures un droit parce qu'il y a un devoir pour elles. Elles ont le droit de civiliser les races inférieures. » Jusque dans les années 1930, dans la France républicaine et en Europe, les zoos humains sont une attraction recherchée : on y exhibe des peuplades primitives. Les bons citoyens accourent pour découvrir ce que la grande presse qualifie alors de « bande d'animaux exotiques, accompagnés par des individus non moins singuliers ». Entre 1877 et 1912, une trentaine d'« exhibitions ethnologiques » de ce type se déroulent au Jardin zoologique d'acclimatation à Paris, avec un constant succès.

Les juifs seront victimes des mêmes doctrines, de la même science des « races » : ainsi, les Aryens et les Sémites formeraient deux groupes de peuples qui auraient été à l'origine de la civilisation et se livreraient depuis une lutte farouche.

C'est sur cette vision que s'appuie l'antisémitisme, mais il s'enracine aussi dans le regain de nationalisme qui balaie l'Europe en cette fin de XIXe siècle et s'accompagne d'une hostilité accrue à l'égard des «étrangers», de l'extérieur comme de l'intérieur. L'antisémitisme, remarque l'historien Henry Laurens, rejoint «l'antijudaïsme traditionnel [...], le malaise des chrétiens devant l'affirmation de la société laïque, l'émergence des nationalismes et la généralisation de l'interprétation raciale de l'Histoire». Ce mouvement, en Europe de l'Ouest, coïncide avec les pogroms antisémites provoqués par le pouvoir dans la Russie tsariste à partir de 1881.

La perception des juifs comme une puissance de l'ombre, omnipotente et richissime – les «banquiers juifs» occultent la grande pauvreté des masses juives qui, notamment en Europe de l'Est, vivent dans une indescriptible misère –, entretient aussi l'antisémitisme. De nombreux responsables politiques la partagent. Elle a été popularisée grâce à un texte célèbre intitulé *Protocoles des Sages de Sion* et notamment composé de comptes rendus des décisions prises par un prétendu Congrès juif pour s'assurer le contrôle du monde. Ce faux a été fabriqué par la police politique tsariste en 1903 mais continue à être pris au sérieux par certains et à être diffusé.

Theodor Herzl et le sionisme

Le sionisme politique émerge dans la seconde moitié du XIXe siècle en riposte à cette nouvelle forme de judéophobie. Il s'inscrit dans le jaillissement des mouvements nationalistes modernes qui ébranlent l'ensemble de l'Europe de l'Est et les Empires tsariste, ottoman et austro-hongrois ; Bulgares et Serbes, Hongrois et Polonais, Ukrainiens et Estoniens, partout, les élites aspirent à créer des États-nations sur le modèle ouest-européen.

Le mouvement sioniste tire son nom de Sion, colline de Jérusalem. Elle est le symbole du «retour» à la Terre promise. De tout temps, des juifs religieux se sont rendus en pèlerinage à Jérusalem, certains pour y mourir. Mais le projet du sionisme est autre : donner aux juifs du monde un centre spirituel, puis étatique. Ce sont les Amants de Sion qui organisent, à partir de 1881, la première vague d'immigration moderne, l'*alya*, la «montée» vers la Palestine. Jusqu'en 1903, elle rassemble 20000 à 30000 personnes. Le relais est pris par le sionisme politique, qui prône la création d'un État juif. Il s'est nourri à deux mamelles. D'une part, les pogroms anti-juifs se multiplient dans l'Empire tsariste entre 1881 et 1884, à la suite de l'assassinat du tsar Alexandre II. Cet attentat sert de justification à l'adoption de lois antijuives : *numerus clausus* dans les universités, restriction à la liberté de circulation, expulsions de juifs de Moscou, intégration forcée dans l'armée de l'enfance à l'âge adulte, etc. D'autre part, en France, dans les années 1890, l'affaire Dreyfus provoque une déferlante antisémite et choque un jeune journaliste nommé Theodor Herzl (1860-1904). Né à Budapest, parlant couramment allemand et français, il a grandi dans une famille autrichienne juive intégrée. Il couvre le procès du capitaine comme correspondant du quotidien autrichien *Neue Freie Presse*. Bouleversé par l'antisémitisme persistant dans la République, il publie, en 1896, *L'État des juifs*.

Les juifs, soutient-il, forment un peuple et ils ont donc besoin d'un État – certains des proches de Herzl prônent sa création en Ouganda ou en Argentine. D'autant, poursuit-il, que l'antisémitisme est «éternel», indépendant des fluctuations de l'Histoire. L'assimilation? «Notre personnalité nationale est historiquement trop célèbre et sa valeur encore trop haute [...] pour que sa disparition soit souhaitable», répond Herzl. Cette option étant un leurre, les juifs doivent redevenir un peuple «normal» et donc recouvrer une terre, en l'occurrence la Palestine. Le premier Congrès sioniste s'ouvre à Bâle le 29 août 1897. À l'issue de la réunion, Herzl écrit ces phrases prémonitoires : « Si je devais résumer le Congrès de Bâle en un mot, ce serait celui-ci : à Bâle, j'ai fondé l'État juif [...]. Peut-être dans cinq ans et certainement dans cinquante ans, chacun le saura. » Il ne se trompait que d'un an : l'État d'Israël naîtra le 15 mai 1948.

En Russie, la nouvelle vague de pogroms de 1903-1906 coïncide avec la révolution de 1905. L'un d'eux, à Kichinev, en avril 1903, soulève une forte indignation internationale : 49 personnes au total sont tuées ; à l'aune des massacres à venir, on en est encore au stade artisanal. Ces persécutions alimentent la seconde *alya*. Désormais, le mouvement sioniste a le vent en poupe, notamment à l'Est, là où les juifs se rapprochent le plus de ce que l'on peut appeler une « communauté nationale ethnico-religieuse ». Assignés à résidence en Russie, au début du XVIIIe siècle, sur environ un million de kilomètres carrés de la mer Baltique à la mer Noire, entre Yalta et Vilna – et sur les marges occidentales et méridionales de cette zone, en Galicie, en Bukovine et en Roumanie –, ils parlent la même langue (le yiddish), partagent la même religion et ce que l'on désigne alors comme une « communauté de destin ». Après la fin de la Première Guerre mondiale, ils se trouvent répartis entre différents États-nations en voie de construction : Pologne, Roumanie, États baltes, etc. Une nationalité comme les autres ? s'interroge alors l'historien Pierre Vidal-Naquet. « Sa dimension transétatique la protégeait des avantages et des inconvénients des structures de l'État national », répond-il. La création à l'Est d'États-nations qui les excluent, ainsi que les Tsiganes, confirme le fait que les juifs se trouvent « à la fois *dans* les nations et *hors* des nations ». Cette dimension confère à l'ensemble juif européen des caractéristiques singulières et explique notamment son engagement dans les mouvements internationalistes.

Car le sionisme n'a été que l'une des réponses possibles, longtemps très minoritaire, à la « question juive ». Durant la fin du XIXe siècle et avant la Première Guerre mondiale, la grande majorité des juifs d'Europe centrale et de Russie « vote avec ses pieds », en émigrant massivement à l'Ouest, et notamment aux États-Unis, la Terre promise de tant de laissés-pour-compte... D'autres, nombreux, font le pari de l'intégration. À partir de 1880, et malgré l'antisémitisme, le nombre de mariages mixtes chez les juifs allemands ne cesse d'augmenter : entre 1901 et 1929, la proportion passe de 16,9 à 59 %. En France aussi, cette « assimilation » s'accélère. La participation active des juifs aux mouvements révolutionnaires transnationaux, notamment socialistes et communistes, qui prônent la fraternité universelle, peut être considérée comme une autre de leurs répliques aux discriminations dont ils sont l'objet. Quant aux religieux, ils rejettent pour la plupart le sionisme : l'État juif ne peut renaître et le Temple ne peut être relevé qu'avec la venue du Messie.

Le sionisme n'est pas le seul mouvement organisé spécifique des juifs de l'Est. En 1897 est créé le Bund, l'Union générale des ouvriers juifs de Lituanie, Pologne et Russie. Il concurrencera le sionisme jusque dans les années 1930. Il se veut nationaliste et socialiste, se fonde sur des principes de classe, prône le yiddish comme langue nationale et une autonomie politico-culturelle conforme aux thèses de ceux que l'on appelle les «austro-marxistes». Les bundistes appellent à l'émancipation «sur place» des masses juives, répétant : «Les palmiers et les vignobles de Palestine me sont étrangers.» Ils prêchent la solidarité des ouvriers juifs avec la classe ouvrière internationale et opposent le patriotisme de la *galout* (l'«exil») au patriotisme sioniste. Tombé dans l'oubli, ce mouvement signera des pages glorieuses de l'histoire de l'Europe centrale, notamment par son rôle dans l'insurrection du ghetto de Varsovie en 1943. Il sera finalement écrasé en Pologne par les nazis et en Union soviétique par les communistes, dont les positions sur la «question juive» fluctueront au gré des événements et des retournements de doctrine. Pour concurrencer le sionisme, l'URSS va jusqu'à concevoir une république autonome juive, le Birobidjan, à l'extrémité orientale de la Sibérie.

La création de l'État d'Israël consacre la victoire du mouvement sioniste, victoire qu'ont rendue possible l'antisémitisme hitlérien et le génocide. Cet État regroupe une proportion croissante des juifs du monde – quelle que soit la définition que l'on donne à ce terme –, mais inférieure à 40 %. Des centaines de milliers d'entre eux ont préféré l'intégration, aux États-Unis ou en Europe, même si Israël réussit désormais à en mobiliser une fraction importante en faveur de ses options. Ils se sentent, à juste titre, davantage en sécurité à New York ou à Paris qu'à Tel-Aviv ou à Jérusalem. Faut-il se réjouir du triomphe de ce nationalisme étroit, autour d'un État ? Bien que sioniste, Albert Einstein exprimait ses inquiétudes : « La manière dont je conçois la nature essentielle du judaïsme résiste à l'idée d'un État juif, avec des frontières, une armée et une certaine mesure de pouvoir temporel, quelque modeste qu'il soit. J'ai peur des dégâts internes que cela entraînera sur le judaïsme – et surtout du développement d'un nationalisme étroit dans nos propres rangs [...]. Un retour à une nation, au sens politique du terme, équivaudrait à se détourner de la spiritualité de notre communauté, spiritualité à laquelle nous devons le génie de nos prophètes. »

« Le sionisme n'est pas le corollaire obligatoire, fatal, de la persistance d'une identité juive, remarque Maxime Rodinson ; ce n'est qu'une option. » Et cette option est critiquable, non seulement comme toute idéologie nationaliste, mais aussi parce que son aboutissement – la création d'un État juif – n'était possible que par la dépossession des Palestiniens. Le sionisme s'est pleinement inscrit – et ce fut l'une des conditions majeures de sa victoire – dans l'aventure coloniale. Ce fut et cela reste sa principale faute.

Une dimension coloniale

Le dévouement ou l'idéalisme de nombre de militants sionistes n'est pas en cause. Un jeune juif débarqué sur la Terre promise en 1926 pouvait écrire : « Je peux être fier car depuis un an que je suis en Palestine je me suis débarrassé de la gangue d'impureté de la diaspora et je me suis purifié du mieux possible. Je voulais une patrie. Être un homme comme les autres, égal aux autres, fier comme eux d'être en Palestine. Dès l'instant où mes pieds ont foulé la terre de mes ancêtres, j'ai rompu tout lien avec l'Europe et l'Amérique. » Il changea de nom, se fit appeler Chaïm Shalom et déclara : « Je suis hébreu et mon nom est hébreu car je suis issu du pays des Hébreux. »

En dépit d'un credo socialiste – ou parfois à cause de lui –, les sionistes ressemblaient aux colons installés en Algérie ou en Afrique du Sud, convaincus de faire progresser la civilisation face à des populations sauvages. Le sionisme en Palestine, malgré des formes particulières, se rattache au mouvement de colonisation sur deux plans : par son attitude à l'égard des populations « autochtones » ; par sa dépendance à l'égard d'une métropole, la Grande-Bretagne, au moins jusqu'en 1939. D'ailleurs, à l'époque où le colonialisme n'avait pas la connotation négative qu'il a aujourd'hui, Theodor Herzl écrivait à Cecil Rhodes, l'un des conquérants britanniques de l'Afrique australe : « Mon programme est un programme colonial. » Zeev Jabotinsky, le dirigeant du mouvement sioniste révisionniste, pour sa part, se réjouissait : « Dieu merci, nous juifs n'avons rien en commun avec ce que l'on appelle l'"Orient". Nous devons venir en aide à ceux parmi le peuple qui sont incultes et qui s'inscrivent dans des traditions et des lois spirituelles archaïques orientales. Nous allons en Palestine d'abord pour notre "bien-être" national, ensuite pour en expurger systématiquement toute trace de l'"âme orientale". » Mordechaï Ben Hillel Ha Cohen, un juif installé à Jérusalem, note :

«Nous sommes en Palestine la population la plus civilisée, personne ne peut rivaliser avec nous sur le plan culturel. La plupart des indigènes sont des fellahs et des bédouins ignorant tout de la culture occidentale. Du temps sera encore nécessaire avant qu'ils apprennent à vivre sans rapines, vols et autres forfaits, jusqu'à ce qu'ils éprouvent de la honte devant leur nudité et leurs pieds nus et qu'ils adoptent un mode d'existence où prévaudra la propriété privée, et où il sera nécessaire que des routes soient tracées et les chaussées goudronnées, que les écoles, les maisons de charité et les tribunaux essaiment sans qu'il y ait de corruption.» Mais l'insondable «âme orientale» semble résister à des décennies de civilisation puisque Moshé Katsav, le président d'Israël, déclare en mai 2001 : «Il existe une immense fracture entre nous [les juifs] et nos ennemis, pas seulement en ce qui concerne les capacités, mais aussi sur le plan de la morale, de la culture, du caractère sacré de la vie et de la conscience [...]. Ils sont nos voisins ici, mais on a l'impression qu'à une distance de quelques centaines de mètres il y a des gens qui ne sont pas de notre continent, de notre monde, mais qui finalement appartiennent à une autre galaxie.» Sont-ils humains, ces Palestiniens ?

À la suite d'émeutes à Jaffa en 1921, une commission d'enquête britannique note que le mouvement ne constituait nullement un pogrom antisémite, mais que les insurgés haïssaient les sionistes, non les juifs. Le *Jewish Chronicle*, organe des juifs britanniques, s'insurge : «Essayez d'imaginer que les animaux sauvages du parc zoologique sortent de leur cage et tuent quelques-uns des visiteurs, et que la commission chargée d'enquêter sur les circonstances établisse que la raison du drame est que les animaux n'aimaient pas leurs victimes. Comme s'il ne relevait pas du devoir de la direction du zoo de garder les animaux dans leurs cages et de s'assurer qu'elles soient bien fermées.» Quelle franchise ! Frantz Fanon, psychiatre antillais rallié à la révolution algérienne, auteur d'un pamphlet célèbre, *Les Damnés de la terre* (1961), constate : «Le langage du colon, quand il parle du colonisé, est un langage zoologique. On fait allusion aux mouvements de reptation du Jaune, aux émanations de la ville indigène, aux hordes, à la puanteur, au pullulement, au grouillement, aux gesticulations. Le colon, quand il veut bien décrire et trouver le mot juste, se réfère constamment au bestiaire.»

La conquête de la terre comme le «refoulement» des autochtones confirment la dimension coloniale du mouvement sioniste. L'un de ses cadres reconnaît dès les années 1910 : «La question arabe s'est révélée dans toute son acuité dès le premier achat de terres, lorsque je dus expulser pour la première fois des habitants arabes pour y installer à la place nos frères. Longtemps après continua de résonner à mes oreilles la triste complainte des bédouins rassemblés cette nuit-là autour de la tente des pourparlers, avant qu'ils ne quittent le village de Shamsin [...]. J'avais le cœur serré et je compris alors à quel point le bédouin était attaché à sa terre.» Mètre carré après mètre carré, les colons juifs s'emparent des terres, repoussant les Arabes.

Aucun compromis n'est possible, Ben Gourion en a bien conscience : «Tout le monde considère les relations entre juifs et Arabes comme problématiques. Mais ils ne voient pas tous que cette question est insoluble. Il n'y a pas de solution! Un gouffre sépare les deux communautés. [...] Nous voulons que la Palestine soit notre nation. Les Arabes veulent exactement la même chose.» Israël Zangwill, un proche de Theodor Herzl, explique dans la presse britannique durant la Première Guerre mondiale : «Si l'on pouvait exproprier, avec compensation, les 600000 Arabes de Palestine, ou si l'on pouvait les amener à émigrer en Arabie, car ils se déplacent facilement *[sic!]*, ce serait la solution de la plus grande difficulté du sionisme.» Herzl avoue dans son journal en 1895 : «Nous devons les exproprier gentiment. Le processus d'expropriation et de déplacement des pauvres doit être accompli à la fois secrètement et avec prudence.» Il sera achevé, sur une grande échelle, en 1948-1949, comme je le montrerai dans le chapitre V.

Il est vrai que les juifs ne débarquent pas d'une «métropole». Ils arrivent de différents pays et ne peuvent envisager de «retourner» en Russie ou en Pologne, comme d'ailleurs les Européens blancs, protestants en majorité, installés aux Amériques et qui enferment les Indiens dans des réserves après avoir essayé – et largement réussi – de les exterminer. Mais le mouvement sioniste bénéficie tout de même du soutien de Londres, sans lequel il serait voué à l'échec : ainsi, pour la seule décennie qui suit l'instauration du mandat, on compte 250 000 immigrés, plus du double par rapport à la décennie précédente. «Pendant tout mon service en Palestine, écrit Arthur Wauchope, le haut-commissaire britannique qui sévit à Jérusalem à partir de 1931, je considérais de mon devoir d'encourager le peuplement juif et je n'avais d'autre ambition que de voir sa sécurité assurée.» Il évoque d'ailleurs la «grande aventure» de la colonisation. Ni l'émigration, ni l'achat de terres, ni la création de structures étatiques n'auraient été possibles sans le parapluie britannique. Bien sûr, il pouvait surgir des contradictions entre les intérêts du *Yishouv* et ceux de Londres, comme nous le verrons dans le chapitre suivant, mais, au moins jusqu'en 1939, elles furent secondaires.

Cette alliance est servie par ce que j'appellerais les «affinités culturelles». Je prends un exemple. À la suite des violentes émeutes qui éclatent en Palestine en 1929, de nombreux responsables britanniques, sur place ou en Grande-Bretagne, sont convaincus de la nécessité d'un changement de cap passant par la restriction de l'immigration et de l'achat de terres. Le ministère des Colonies prépare en octobre 1930 un Livre blanc reprenant ces propositions. Mais Weizmann fait jouer toutes ses relations, Ben Gourion consulte le chef du gouvernement britannique et obtient une garantie de la liberté d'immigration et d'achat de terres, qualifiée de «lettre noire» par les Arabes. Le Premier Ministre britannique discute même avec le numéro un sioniste le moyen de privilégier les juifs dans les arrangements, au détriment du principe de la parité (traitement égalitaire des juifs et des Arabes) affirmé publiquement. Cet éclatant succès, le mouvement le doit à son entregent, à ses contacts politiques, à sa connaissance du système politique britannique. Les sionistes ont plus de chances de se faire entendre que les représentants arabes ou palestiniens, dont la culture, les traditions, le mode même de négociation sont étrangers aux Européens. Les sionistes sont des Occidentaux qui parlent à des Occidentaux. Cet atout, ils en useront à chaque étape du conflit.

Israël, pour reprendre l'expression de Maxime Rodinson, est un «fait colonial». Comme l'Australie ou les États-Unis, le pays est né d'une conquête, de l'expropriation des autochtones. En revanche il n'est pas, contrairement à l'Afrique du Sud de l'apartheid, une «société coloniale», une société qui a besoin des «indigènes» pour survivre. D'autre part, même s'il a été bâti sur une injustice, Israël est désormais un État reconnu par la communauté internationale, par les Nations unies. Penser, comme l'ont fait et continuent de le faire certains, que l'on peut «expulser» les Israéliens, les renvoyer «chez eux», n'est ni moralement défendable ni politiquement réaliste. Une injustice ne peut être réparée par une autre injustice. Vivent désormais en Terre sainte deux peuples, l'un israélien, l'autre palestinien. On peut rêver, comme le font quelques intellectuels palestiniens et israéliens, qu'un seul État pourrait les regrouper; c'est une belle utopie, que notre génération ne verra pas se réaliser. Et, quoi qu'il en soit, aucune solution ne pourra être imposée de façon unilatérale aux Palestiniens ni aux Israéliens.

CHAPITRE IV

Naissance d'Israël, naufrage de la Palestine (1947-1949)

Revenons au moment charnière de 1947-1949. Le plan de partage de la Palestine est voté par les Nations unies, l'État juif vient au monde, 700 000 à 800 000 Palestiniens se transforment en réfugiés, les règles de l'affrontement entre Israël et ses voisins arabes sont fixées. C'est aussi une période qui suscite encore d'innombrables controverses quant à l'origine des problèmes et des drames qui meurtrissent la région.

Intransigeance britannique

1939 : la Grande-Bretagne adopte le Livre blanc qui restreint l'immigration juive et interdit l'achat de terres arabes (voir chapitre II). La révolte palestinienne a été brisée. Les tensions internes en Palestine restent fortes mais sont atténuées par le déclenchement de la Seconde Guerre mondiale, en septembre 1939. Celle-ci accélère la marche vers un État juif mais crée aussi un fossé entre Londres et le mouvement sioniste. Désormais, la Grande-Bretagne craint avant tout que le renforcement du *Yishouv* n'affaiblisse son emprise sur le Proche-Orient arabe. Le mouvement sioniste, et notamment David Ben Gourion, se tourne vers un nouvel astre, les États-Unis. En mai 1942, à l'hôtel Biltmore à New York, se tient une conférence sioniste extraordinaire qui appelle ouvertement, pour la première fois, à «la création d'un État [Commonwealth] juif en Palestine».

Cet objectif nécessite d'attirer les centaines de milliers de «personnes déplacées» juives, survivantes des camps européens, dont le désarroi et la détresse sont insondables. Où peuvent-elles aller? Les États-Unis comme l'Europe de l'Ouest refusent de les accueillir. Et les Britanniques maintiennent la politique de restriction de l'immigration en Palestine. C'est sur ce terrain que porte, pendant un temps, l'effort principal du mouvement sioniste, qui cherche à modifier encore les équilibres démographiques en Palestine : entre la fin de la guerre et le 15 mai 1948, 70 000 clandestins débarquent. Mais la médiatisation de l'arraisonnement par des navires britanniques de ces bateaux chargés de rescapés des camps sert formidablement la cause de Ben Gourion. Le 27 septembre 1945, les dirigeants sionistes dénoncent le blocus de la Palestine, qui équivaut à « un arrêt de mort pour ces juifs libérés qui se morfondent dans les camps d'internement en Allemagne ». Les opinions occidentales s'émeuvent. En revanche, pour les Arabes, ces manœuvres relèvent de la propagande : ils sont prêts à accueillir des réfugiés, non des colons, nuance.

Le 12 août 1946, les autorités britanniques adoptent de nouvelles mesures contre l'immigration, dont la plus dramatique est l'internement à Chypre de tous ceux qui auront été arrêtés. « Contrairement à ce qui a été affirmé, proclame Londres, ce trafic illégal n'est pas un mouvement né spontanément chez les juifs d'Europe qui verraient dans la Palestine leur seule perspective d'avenir. [Ce trafic] a été monté par des personnes sans scrupules qui veulent forcer la main du gouvernement de Sa Majesté et anticiper ses décisions sur la politique en Palestine. » La politique britannique envers le sionisme ne change pas fondamentalement après la fin de la guerre, malgré la défaite du conservateur Winston Churchill aux élections générales de juillet 1945 et la victoire des travaillistes, réputés plus favorables au mouvement sioniste ; au contraire, elle se durcit, mais sans jamais franchir le point de non-retour. D'autant que les Britanniques commencent à plier bagage.

Plusieurs raisons expliquent ce désengagement. Bien qu'appartenant au camp des vainqueurs, l'Empire « sur lequel le soleil ne se couche jamais » n'est plus que l'ombre de lui-même. La situation financière du pays est désespérée. Le long reflux commence, qui se matérialisera notamment par l'abandon de l'Inde, le joyau de la Couronne, en 1947. D'autre part, la Grande-Bretagne se heurte à un fort mouvement nationaliste arabe qui menace les trônes de ses protégés, les rois d'Irak, de Transjordanie et d'Égypte. Il lui faut donc ménager ses alliés au moment même où le sionisme réclame ouvertement la création rapide d'un État juif, situation qui rend difficile le « double langage » que Londres a pu tenir durant les années 1920 et 1930.

Enfin, sur le terrain, les sionistes défient de plus en plus ouvertement son autorité. D'une part, des milliers de juifs du *Yishouv* se sont enrôlés dans l'armée britannique et y ont acquis une expérience militaire. En mai-juin 1941, avec l'aide des Britanniques qui craignaient une invasion allemande, a été créé le Palmah, une force armée permanente juive à l'efficacité redoutable. D'autre part, on l'a vu, l'immigration clandestine avive l'affrontement et radicalise le *Yishouv*, traumatisé par les informations sur le génocide. La plupart des juifs de Palestine ont eu dans leur famille des personnes tuées, fusillées, exterminées dans les chambres à gaz. Ils s'indignent du refus de Londres de laisser venir les survivants. Les groupes armés dissidents, d'abord – l'Irgoun (dépendant du mouvement révisionniste) et le Lehi, une petite scission –, puis, pendant une courte période, l'ensemble des milices juives se lancent dans l'action contre les Britanniques.

C'est le 1er février 1944 que l'Irgoun, alors dirigé par Menahem Begin – celui-là même qui signera, 34 ans plus tard, avec le président égyptien Sadate la paix de Camp David –, annonce la fin de la trêve avec les Britanniques. Dans un premier temps, ses actions sont condamnées par la Haganah et le mouvement travailliste, qui livrent certains de ses militants aux Britanniques. Mais le ton change en octobre 1945, notamment autour du drame des immigrants illégaux. Pendant huit mois, les trois groupes s'unissent, attaquant des objectifs militaires en Palestine. Ainsi commence ce que l'on appelle la «révolte». La plus spectaculaire de ces actions a lieu dans la nuit du 17 juin 1946, quand le Palmah fait sauter onze des ponts qui relient la Palestine aux différents pays voisins. Mais un attentat spectaculaire et meurtrier, perpétré le 22 juillet 1946 par l'Irgoun contre l'hôtel King David, quartier général militaire et administratif britannique, et qui fait une centaine de morts, met un terme à l'alliance; la Haganah le condamne et décide la dissolution de l'Irgoun, sans succès évidemment. Mais ni le mouvement travailliste ni Londres ne veulent provoquer l'irréparable. Comme le remarque l'historien israélien Tom Segev, les Britanniques «n'agirent jamais à l'encontre des juifs avec la même détermination et la même dureté dont ils avaient fait preuve pour réprimer la révolte arabe». Et Ben Gourion, malgré ses déclarations bellicistes, cherchera jusqu'au début de 1947 à prolonger le mandat britannique, craignant une confrontation trop rapide avec les Arabes.

L'arbitrage des Nations unies

Londres a déjà tranché. Le 18 février 1947, le gouvernement annonce sa décision de porter la question de la Palestine devant les Nations unies : «Nous sommes incapables, reconnaît le ministre des Affaires étrangères Ernest Bevin, d'accepter les propositions mises en avant par les Arabes ou par les juifs, ou d'imposer une solution à tous.» D'autant que la Grande-Bretagne ne veut pas s'aliéner les sympathies des États-Unis, favorables aux aspirations sionistes, alors que se profile la guerre froide avec l'Union soviétique.

Les États-Unis, s'ils ont tendance à laisser à Londres la responsabilité concrète de la gestion du conflit, subissent les pressions de nombre de juifs américains, notamment sur la question de l'immigration. En août 1945, le nouveau président Harry Truman, qui vient de succéder à Franklin D. Roosevelt, se déclare partisan de l'octroi de 100 000 visas supplémentaires pour les juifs en Palestine. Bien implantées, les organisations sionistes mobilisent l'opinion. Lorsqu'une commission anglo-américaine se rend en 1946 dans les camps de personnes déplacées, les représentants de l'Agence juive s'organisent pour qu'elle ne rencontre que des juifs favorables à l'émigration en Palestine. Néanmoins, un conseiller du gouvernement américain affirme à l'époque que, si on leur laissait le choix, la moitié des survivants juifs préféreraient les États-Unis à la Palestine.

C'est dans ce contexte que les Nations unies créent une commission, une de plus – la dix-septième depuis 1917 à se pencher sur le sort de la

Palestine. L'United Nations Special Committee on Palestine (Unscop) réunit les représentants de onze pays. Elle doit remettre son rapport avant le 1er septembre 1947. La commission arrive sur place en juin et découvre un pays en guerre, paralysé par le terrorisme des groupes armés extrémistes juifs. Elle est boycottée par le Haut Comité arabe tandis que l'Agence juive, au contraire, l'entoure de toutes ses «attentions» : elle va jusqu'à cacher des micros dans les salles où se réunit la commission et connaît ainsi les positions de chacun des commissaires et des témoins. À chaque membre de l'Unscop elle affecte des accompagnateurs qui parlent sa langue; elle trouve même des juifs suédois pour s'occuper de son président...

Si l'Agence juive tente d'imposer son point de vue – la création d'un État juif –, l'Unscop entend également des représentants de points de vue minoritaires, favorables à un État judéo-arabe. Tombés dans l'oubli, ils ont pourtant exercé une vraie influence sur les sociétés juive et arabe. D'un côté, la Ligue pour le rapprochement et la coopération judéo-arabes, soutenue notamment par Hachomer Hatzaïr, un parti d'extrême gauche qui s'appuie sur une puissante fédération de kibboutz, préconise «la construction de la Palestine comme patrie commune du peuple juif y retournant et du peuple arabe y résidant [et qui] doit être fondée sur une compréhension et un accord mutuels durables». De l'autre côté, les communistes, antisionistes, ont vu leur parti éclater en 1943 entre une organisation juive et la Ligue de libération nationale, assez active parmi les Arabes. Ils refusent et la partition et la domination d'un groupe sur l'autre. Ces positions témoignent qu'il existait – et qu'il existe encore – des courants refusant courageusement la logique du «eux ou nous»...

Trois éléments vont emporter l'avis de la majorité des membres de l'Unscop et les amener à soutenir le partage de la Palestine et la création d'un État juif : la tragédie des «clandestins»; la réussite de la colonisation; la visite des camps de la mort.

Juillet 1947. Une foule est massée dans le port de Haïfa. Elle observe un vieux rafiot entouré de navires de guerre britanniques. Aux yeux de tous, les 4500 passagers, femmes, vieillards, enfants, survivants misérables des camps de la mort, sont brutalement débarqués puis transférés sur d'autres bateaux-cages. Parmi les spectateurs médusés et révoltés, Emil Sandstrom, le président suédois de l'Unscop. Il sera abordé, quelques heures plus tard, par un prêtre américain, le révérend John Grauel. Le religieux a fait le voyage sur le paquebot, affrété par la Haganah et rebaptisé *Exodus 47*, qui a quitté le port de Sète le 12 juillet 1947. Il fait au Suédois un récit dramatique de la traversée, de la façon dont les Britanniques ont pris d'assaut le bâtiment, tuant au moins trois personnes. Il termine par ces mots : «J'ai observé ces gens. Je sais qui ils sont. Et je vous affirme que les juifs installés dans les camps de "personnes déplacées" européens veulent venir en Palestine, qu'ils viendront en Palestine et que rien, sinon une guerre ouverte et une destruction complète, ne les en empêchera.»

Comment les membres de l'Unscop ne seraient-ils pas ébranlés? D'autant que l'odyssée de ces réfugiés refoulés, transportés de port en port, dure tout l'été. Ils sont finalement débarqués de force en septembre en... Allemagne. Le représentant guatémaltèque à l'Unscop, Jorge Garcia Granados, note dans ses Mémoires que ce fut là «une des décisions les plus cyniques et stupides jamais prises par un gouvernement civilisé». De l'épisode de l'*Exodus* on a fait un livre, puis un film à grand spectacle, qui ont aussi peu de rapport avec l'histoire réelle que *Les Dix Commandements*, le grand péplum de Cecil B. DeMille...

Qui, dans ces conditions, peut entendre l'argumentation des Palestiniens? Pour eux, il ne s'agit nullement de l'accueil de réfugiés. Durant toute la Seconde Guerre mondiale, la Terre sainte a servi d'asile à des dizaines de milliers de personnes fuyant qui la guerre, qui la répression. Mais là, les «réfugiés» prétendent «retourner» dans leur pays, s'y substituer à la population locale...

Les organisations arabes ayant boycotté l'Unscop, les délégués n'entendent pratiquement qu'un son de cloche. Et son timbre, notamment dans les camps de «personnes déplacées» en Europe, résonne particulièrement grave. L'ombre du génocide flotte sur les pays de l'Est. On croit même qu'il peut reprendre à tout moment. Le conseiller pour les Affaires juives de l'armée américaine à Munich explique aux membres de la commission : «Si nous nous retirions demain, il y aurait des pogroms le jour suivant. L'antisémitisme est en expansion. Les Allemands détestent les "personnes déplacées".» Un réfugié grec raconte comment il a été déporté à Auschwitz, comment sa femme et son fils de un an ont été brûlés dans un four crématoire; son seul rêve, poursuit-il, est de s'installer en Palestine. Ces réfugiés sont parqués à quelques kilomètres – parfois à l'intérieur même – des usines de mort dont ils ont réchappé, comme le camp de Hahne, en zone d'occupation britannique, proche du camp de Bergen-Belsen où les troupes britanniques ont trouvé 10000 cadavres entre les baraquements. On les avait laissé mourir de faim...

Un facteur contribue à emporter la décision des membres de la commission : c'est ce que je nommerais la «vision coloniale». En Palestine, les différents observateurs occidentaux qui se succèdent dans les années 1940 mettent tous en lumière la «différence de développement» entre juifs et Arabes. Frank Aydelotte participe en 1946 à une commission anglo-américaine : «J'ai quitté Washington assez fortement antisioniste... Mais quand vous voyez *de visu* ce que ces juifs ont fait de la Palestine, c'est le plus grand effort créatif dans le monde moderne. Les Arabes n'ont rien fait d'équivalent et détruiraient tout ce que les juifs ont fait. Nous ne devons pas les laisser faire.» Le représentant du Guatemala à l'Unscop, dans ses Mémoires, raconte que, «à côté du XXe siècle, nous avons vu des vestiges du XVe siècle. Porteurs d'eau arabes, courbés en deux sous des outres remplies d'eau, qui marchent en traînant les pieds, frappant deux tasses en fer-blanc pour attirer l'attention sur leurs marchandises ; et, de temps à autre, un âne marchant lentement dans la rue, suivi d'un Arabe qui le frappait avec un bâton, pendant que des voitures, klaxonnant impatiemment, faisaient la queue derrière lui». D'un côté la civilisation, symbolisée par la voiture, de l'autre le monde sauvage et ses ânes...

Acceptons un instant ce raisonnement. En Algérie, les plantations des colons français étaient bien mieux entretenues que celles des paysans arabes; fallait-il alors refuser l'indépendance de l'Algérie? Personne ne conteste que, en Afrique du Sud, du temps de l'apartheid, les quartiers blancs étaient «propres, bien entretenus, riants», alors que les ghettos noirs étaient «sales, dangereux, repoussants». Fallait-il alors que la minorité blanche garde le pouvoir? En 1947, personne ne se demande si l'arriération des colonisés n'est pas, entre autres, le résultat de la colonisation... À l'époque, le grand mouvement de décolonisation s'amorce à peine et ce que l'on appelle la «communauté internationale», celle qui fait la diplomatie et forge les concepts pour analyser le monde, est dominée par quelques pays occidentaux.

L'Unscop remet donc ses conclusions; elles sont sans surprise. Si l'accord est unanime pour mettre fin au mandat britannique sur la Palestine, la commission est divisée quant aux autres recommandations : la majorité préconise de partager la Palestine en deux États, l'un juif, l'autre arabe, avec une union économique entre les deux, la région de Jérusalem et des Lieux saints passant sous tutelle internationale. Une minorité préconise un État fédéral indépendant avec deux entités, l'une arabe, l'autre juive. Des négociations se poursuivent pour définir les contours des deux États. Finalement, le plan est soumis à l'Assemblée générale des Nations unies le 29 novembre 1947 : l'État juif devrait occuper 55 % de la Palestine avec 500 000 juifs et 400 000 Arabes ; l'État arabe, avec 700 000 Arabes et quelques milliers de juifs, le reste ; la zone de Jérusalem comptera 200 000 personnes, pour une moitié juifs, pour une moitié arabes.

Pour « passer », ce texte doit recueillir les deux tiers des voix de l'Assemblée générale des Nations unies. Jusqu'à la dernière minute, le résultat est incertain. Les États-Unis multiplient les pressions sur les États hésitants. La Grèce se voit menacée d'être privée de l'aide américaine en cas de rejet, au moment même où le gouvernement affronte une insurrection communiste, mais Athènes votera quand même contre. Au Liberia Washington laisse entendre qu'il pourrait subir un embargo sur le caoutchouc ; Freetown capitule. La France elle-même, qui s'est abstenue lors des votes préliminaires, fait l'objet de « conseils » de l'ami américain et se rallie au plan de la majorité. Finalement, l'Assemblée générale des Nations unies « recommande » le partage par 33 voix contre 13, et 10 abstentions – à l'époque, le nombre de membres des Nations unies (pour l'essentiel des pays européens et latino-américains) est réduit comparé aux 190 membres environ de 2002.

Quel qu'eût été le vote des Nations unies, l'État d'Israël aurait été créé. Il existait en fait virtuellement dès la fin des années 1930. Pourtant, la décision de l'ONU est importante car elle donne une légitimité au projet sioniste. Elle fixe aussi le principe de toute solution en Palestine : «deux peuples, deux États». En 1988, quand ils proclameront la naissance de leur État, les Palestiniens feront référence à cette résolution 181 du 29 novembre 1947...

Les mythes de la guerre de 1948-1949

La guerre peut maintenant commencer. La Grande-Bretagne s'est abstenue sur le plan de partage; elle décide de mettre un terme à son mandat le 15 mai 1948 mais ne permet pas aux Nations unies de «prendre le relais» pour assurer une transition pacifique. Dès décembre 1947, des affrontements mettent aux prises juifs et Arabes en Palestine. Le 14 mai 1948, Ben Gourion annonce la création de l'État d'Israël, et le lendemain les armées de plusieurs États arabes envahissent la Palestine. À l'issue d'une guerre qui se prolongera jusqu'en juillet 1949, entrecoupée de trêves, Israël sort victorieux. Il a repoussé ses frontières bien au-delà de ce que prévoyait le plan de partage (voir cartes, cahier central). Il s'est débarrassé de la grande majorité des Palestiniens résidant sur son territoire, les transformant en réfugiés. Il occupe la partie ouest de Jérusalem, dont il fait sa capitale. Deux territoires seulement lui ont échappé : la Cisjordanie (et Jérusalem-Est), que la Jordanie annexe en 1950 ; la petite bande de Gaza, qui passe sous tutelle égyptienne mais conserve son autonomie : je me souviens encore de ces timbres égyptiens que l'on vendait au Caire à la fin des années 1950, avec, en surimpression, le mot « Gaza »...

La conflagration de 1948-1949 a engendré de nombreux mythes : les dirigeants sionistes auraient voulu appliquer le plan de partage ; la victoire israélienne contre cinq armées arabes relèverait du prodige – *Analyse d'un miracle*, tel est le titre d'un ouvrage d'Arthur Koestler consacré à l'événement ; les réfugiés seraient partis d'eux-mêmes ou à l'appel des dirigeants arabes (je reviendrai sur ce point au chapitre suivant) ; Israël a cherché obstinément la paix avec ses voisins.

Israël est un État démocratique, en tout cas pour ses citoyens juifs, les Arabes subissant des discriminations dans divers domaines. Après trente ans, ses archives se sont ouvertes aux chercheurs, même si certaines d'entre elles, trop « sensibles », restent encore inaccessibles. Elles ont permis de « revisiter » de nombreux mythes de l'histoire nationale. Les « mensonges historiques » ne sont évidemment pas une nouveauté, ni une particularité de la région. Ernest Renan, que j'ai déjà cité, écrivait : «L'oubli, et je dirai même l'erreur historique sont un facteur essentiel de la création d'une nation [...]. L'investigation historique, en effet, remet en lumière les faits de violence qui se sont passés à l'origine de toutes les formations politiques.»

Au Proche-Orient aussi, l'Histoire épaule, presque directement, les stratégies politiques. Établir si les Palestiniens ont été chassés en 1947-1949 ou sont partis de leur plein gré a, bien évidemment, des conséquences concrètes sur leur statut actuel et sur ce que l'on appelle leur «droit au retour». Et la remise en cause des mythes que j'ai évoqués bat en brèche la supériorité morale que s'est arrogée Israël au cours de la seconde moitié du XXe siècle.

Les Palestiniens, comme les États arabes – à l'exception, nous le verrons, de la Jordanie –, ont refusé le partage. Au nom des rapports de forces, on peut estimer qu'ils auraient mieux fait de l'accepter, comme certains d'entre eux le pensèrent... On peut aussi comprendre que le principe du partage leur soit apparu particulièrement illégitime. Pourquoi 400 000 d'entre eux devaient-ils devenir une minorité dans un État juif? Pourquoi les juifs, qui représentaient un tiers de la population, se voyaient-ils accorder 55 % du pays?

Quant aux sionistes, leur sens tactique surpassa celui de leurs adversaires. Ils savaient quels discours porter dans les instances internationales, même s'ils n'étaient pas prêts à s'y conformer... Depuis de longues années, le mouvement sioniste était confronté à des propositions de partage de la Palestine, notamment celle de la commission Peel en 1937. Ben Gourion en acceptait le principe, mais il précisait aux membres de son parti : «De la même manière que je ne considère pas l'État juif proposé comme la solution finale aux problèmes du peuple juif, je ne vois pas la partition comme la solution finale de la question de Palestine. Ceux qui rejettent la partition ont raison car ce pays ne peut être divisé parce qu'il constitue une entité unique, pas seulement d'un point de vue historique, mais aussi naturel et économique.» S'adressant à l'exécutif sioniste, il était encore plus direct : «Après la formation d'une armée importante dans le cadre de l'établissement de l'État, nous abolirons la partition et nous nous étendrons à l'ensemble de la Palestine.» L'assentiment au principe du partage était purement tactique dès 1937. Il en sera de même en 1947.

Intervenant le 3 décembre 1947 devant la direction de la Histadrout, la centrale ouvrière juive, Ben Gourion affirme que le plan de partage qu'il vient publiquement d'accepter «ne fournit pas les bases d'un État juif stable. Nous devons envisager cela avec clarté et précision.

Un tel découpage ne nous donne même pas une assurance absolue que le contrôle restera dans les mains de la majorité juive». Et il précise en de nombreuses occasions que les limites de l'État juif seraient déterminées par la fortune des armes. Le texte de la déclaration d'indépendance du 14 mai 1948 ne contient d'ailleurs aucune mention ni de la résolution du 29 novembre 1947, ni des frontières. Au même moment, ses émissaires assurent au président américain que l'État d'Israël a été fondé «dans les frontières approuvées par l'Assemblée générale des Nations unies». Pure mystification...

Les sionistes violèrent donc ouvertement les recommandations de la résolution 181. Celle-ci avait proposé une période de transition de deux ans (jusqu'en septembre 1949) pour mettre en place notamment l'union économique. Or Ben Gourion décida la proclamation de l'État dès le 14 mai 1948, tuant toute occasion de compromis. D'autre part, il voulait à tout prix empêcher la création d'un État palestinien, contrairement là encore à la lettre du plan de partage. Une telle possibilité existait-elle? Nous savons peu de chose sur l'état de l'opinion palestinienne. Ce qui est sûr, c'est que le Haut Comité arabe, sous l'égide d'Amine El Husseini, rejeta catégoriquement la résolution des Nations unies, de même que la majorité de l'opinion. Mais le Haut Comité était très critiqué, et les Palestiniens étaient-ils prêts à se battre ? De nombreux villages arabes signèrent des accords de non-belligérance avec leurs voisins juifs. Comme le souligne un responsable sioniste, «la majorité des masses palestiniennes acceptait la partition comme un fait accompli et ne croyait pas à la possibilité de la rejeter». Ben Gourion notait le 14 mars 1948 : «La grande majorité d'entre eux ne veulent pas nous combattre.» Certains dirigeants d'organisations influentes, comme la Ligue de libération nationale (communiste), prônaient un compromis. Personne ne peut dire si un accord aurait été possible, mais à aucun moment Ben Gourion ne prospecta sérieusement une telle option.

Il avait déjà négocié une partition *de facto* avec l'émir Abdallah de Jordanie. Car les États arabes étaient profondément divisés. La Jordanie, qui alignait la Légion arabe, le plus efficace des contingents arabes, lorgnait une partie de la Palestine – et elle était d'accord avec les sionistes pour écraser les Palestiniens. Le roi Farouk d'Égypte avait imposé tardivement l'invasion à ses généraux réticents. La Syrie se méfiait des ambitions des dynasties hachémites d'Amman et de Bagdad. Aucune coordination, aucun plan de bataille commun n'avaient été élaborés par les pays arabes.

D'autre part, le 14 mai 1948, l'ensemble des forces arabes sur le théâtre des opérations – aussi bien celles des États qui avaient envahi la Palestine que celles des Palestiniens – n'excédait pas 25 000 soldats, alors que la toute jeune armée de défense d'Israël, Tsahal, en alignait 35 000, puis 100 000 en décembre. À chaque étape, l'armée israélienne comptait plus de soldats que tous ses ennemis réunis. Si durant les premiers mois elle ne disposait que de peu de matériel lourd, elle surmonta cette faiblesse grâce à la fourniture clandestine, et illégale, d'armes venues de Tchécoslovaquie. L'un des éléments les plus insolites de ce conflit, au regard de la tournure qu'il prit par la suite, fut le soutien moral et matériel apporté par l'Union soviétique et ses alliés au mouvement sioniste, Moscou s'étant fixé pour objectif prioritaire le départ des Britanniques de la région. La défaite arabe était donc inscrite dans les rapports de forces. David terrassa bien Goliath, mais un Goliath aux pieds d'argile... Cependant, Israël perdit 6 000 personnes durant les combats, soit 1 % de sa population, et celle-ci garda l'impression qu'elle avait été, une nouvelle fois, au bord de l'extermination.

Lorsque se mettent en place les accords d'armistice avec les pays arabes – le dernier est signé avec la Syrie en juillet 1949 –, Israël s'étend sur un territoire bien plus vaste que celui prévu par le plan de partage : environ 78 % de la Palestine. Il a également pris le contrôle de la partie ouest de Jérusalem. Enfin, l'État, pratiquement «ethniquement pur», ne compte qu'environ 150000 Palestiniens, assujettis à un régime militaire jusqu'en 1966.

Pour clore ce chapitre, il faut tordre le cou à un dernier mensonge, celui selon lequel Israël aurait toujours recherché la paix avec ses voisins mais n'aurait jamais trouvé de partenaire arabe. Des archives émerge un tout autre récit. Avec ses trois principaux voisins – la Jordanie, la Syrie et l'Égypte –, des contacts sont noués après la guerre. À chaque fois, Israël refuse toute concession pour conclure la paix : « [Nous voulons] la paix contre la paix», écrit Ben Gourion. Il n'est question ni de rendre les territoires conquis, ni surtout de permettre le retour des réfugiés palestiniens. Le Premier ministre israélien envisage même la conquête de la Cisjordanie et de Gaza.

À plusieurs reprises entre 1949 et 1951, l'émir Abdallah de Jordanie propose divers compromis, qui sont repoussés. Moshé Sharett, le ministre israélien des Affaires étrangères, rapporte : «Le roi de Transjordanie dit qu'il veut la paix immédiatement. Nous répondons, bien sûr, que nous voulons aussi la paix, mais que nous ne devons pas courir, seulement marcher.» Abdallah sera assassiné par un Palestinien le 20 juillet 1951...

À Damas, en mars 1949, pour la première fois mais non la dernière, l'armée s'empare du pouvoir, sous la direction du colonel Hosni El Zaïm.

Il offre à Israël une paix formelle avec ouverture d'ambassades. En échange, il demande quelques concessions concernant l'eau et les territoires, mais se déclare prêt à absorber 300 000 réfugiés palestiniens. Ben Gourion rejette ces propositions ainsi qu'une offre de rencontre directe avec le dirigeant syrien. El Zaïm sera renversé le 14 août 1949, puis exécuté. En ce qui concerne l'Égypte, principale puissance du monde arabe, le régime du roi Farouk puis, après le coup d'État des « officiers libres » du 23 juillet 1952, celui de Gamal Abdel Nasser négocient secrètement avec Israël. Jusqu'en 1955, plusieurs plans sont avancés, notamment sous l'égide des États-Unis.

De toute évidence, Israël n'a pas « couru » après la paix. Bien sûr, l'instabilité du monde arabe, traumatisé par la défaite, fragmenté en courants rivaux, pesait sur toute négociation. Rien ne garantissait que ces « ouvertures » auraient débouché sur la paix. Mais cette voie ne fut pas même explorée par l'État juif. Comme l'expliquait à Ben Gourion Abba Eban, le représentant israélien aux Nations unies : « Les accords d'armistice sont suffisants pour nous. Si nous courons après la paix, les Arabes en demanderont le prix : ou des territoires, ou le retour des réfugiés, ou les deux. Il vaux mieux attendre quelques années. » Cinquante ans plus tard, on attend toujours...

CHAPITRE V

Du génocide à l'expulsion, les souffrances de l'Autre

J'entends déjà les protestations outragées, les imprécations vengeresses, les procès d'intention. Comment peut-on amalgamer les événements, comment peut-on comparer ce qui est incomparable ? Pour les uns, la *Shoah* est un événement unique. Pour les autres, les Palestiniens ne sont pas responsables du génocide des juifs, et l'évocation de ce dernier, qui relève de la « manipulation », n'a pas sa place dans le conflit du Proche-Orient.

Laissons-les s'indigner. Les faits sont têtus, même si on se refuse à les voir. Je pars d'une constatation simple : les juifs israéliens comme les Palestiniens sont habités par une souffrance profonde, par une peur existentielle. Pour les premiers, le génocide nazi fait partie intégrante de leur identité et ils redoutent sa «répétition»; chaque attentat est vécu comme le signe d'une possible résurgence de la «bête immonde» que fut le nazisme, parfois comme la preuve d'un «antisémitisme éternel». Pour les Palestiniens, l'expulsion et le déracinement de 1948-1949 participent d'une épreuve traumatique dont ils continuent de subir les effets et dont ils craignent aussi la «répétition». Plusieurs centaines de milliers d'entre eux ont été chassés une nouvelle fois en 1967, et en 2002 près d'un juif israélien sur deux se déclare favorable au «transfert» des Palestiniens de Cisjordanie et de Gaza vers les pays arabes. Ces deux peurs imprègnent les protagonistes, leurs visions du monde, leurs comportements quotidiens. Elles sont devenues, pour reprendre une formule de Karl Marx, une «force matérielle». L'ignorer, c'est se priver de comprendre l'une des dimensions majeures du conflit.

Clarifions d'abord les termes du débat. Il ne s'agit nullement de «comparer», d'une part, le génocide, la volonté qui l'accompagne d'anéantissement systématique de millions de personnes sur la base de leur religion ou de leur «race», et, d'autre part, l'expulsion, moment traumatisant pour les Palestiniens mais qui n'est pas synonyme d'une extermination, même si elle s'est accompagnée de massacres. Par ailleurs, les deux événements ne se déroulent pas sur le même continent, n'engagent pas les mêmes acteurs, ne relèvent pas de circonstances analogues. Certes, les juifs furent massacrés par les nazis, mais les Palestiniens, chassés par les milices juives puis par l'armée israélienne, sans être en aucune façon responsables du génocide, en furent en quelque sorte des victimes indirectes. Enfin, pour eux, l'exil se poursuit et leur calvaire n'a pas fait l'objet de la moindre reconnaissance officielle ni d'un début de «repentance», pas plus de la part d'Israël que de celle de la communauté internationale.

Les Israéliens parlent de la *Shoah*, les Palestiniens évoquent la *Nakba*; les deux termes peuvent se traduire par «catastrophe». Pour les uns comme pour les autres, on pourrait reprendre les termes d'Andromaque évoquant la chute de Troie : «Une nuit cruelle, qui fut pour tout un peuple une nuit éternelle.» Je voudrais tenter de resituer le parcours de chacun des deux cataclysmes.

La Shoah

Avec l'arrivée de Hitler au pouvoir en Allemagne, en janvier 1933, se systématisent les persécutions des juifs. Mais elles ne se transforment en extermination qu'après le début de la Seconde Guerre mondiale. L'invasion de l'Union soviétique, en juin 1941, marque une étape. «Concernant la question juive, le Führer est décidé à faire place nette. Il a annoncé aux juifs que, s'ils occasionnaient à nouveau une guerre mondiale, ils vivraient leur destruction. Ce n'était pas une phrase. La guerre mondiale est là, l'anéantissement des juifs doit en être la conséquence nécessaire. Cette question doit être considérée sans la moindre sentimentalité.» Ainsi Josef Goebbels, le maître de la propagande nazie, décrypte-t-il le discours d'Adolf Hitler devant les préfets du Reich, à Berlin, le 12 décembre 1941. Les massacres à grande échelle ont déjà commencé sur les territoires de l'Est, en Union soviétique. Dans chaque ville, dans chaque village, des centaines, voire des milliers de juifs et de communistes sont liquidés par des commandos spécialisés, les *Einsatzgruppen*, et souvent enterrés dans des fosses communes. Le récit de ces abominations a été recueilli par deux grands écrivains soviétiques, Ilya Ehrenburg et Vassili Grossman, dans un ouvrage bouleversant : *Le Livre noir sur l'extermination scélé-*

rate des juifs par les envahisseurs fascistes allemands dans les régions provisoirement occupées de l'URSS et dans les camps d'extermination en Pologne.

La décision est alors prise par Hitler de passer du massacre «artisanal», si l'on peut dire, au massacre industriel : le premier centre de mise à mort s'ouvre à la fin 1941, le gazage massif commence à Auschwitz au printemps-été 1942 avec l'utilisation d'un désinfectant puissant, le Zyklon B. Cette liquidation vise tous les juifs, mais aussi d'autres groupes «indésirables», comme les Tsiganes. Comment dire l'horreur de ces crimes? Des milliers de récits existent. Nous en sommes parfois saturés, à tel point que nous ne sommes plus capables de les entendre ni d'en tirer des leçons. D'autant qu'il existe dans cette production le meilleur et le pire, l'authentique et le factice, l'or et le plomb. Je reprendrai quelques lignes extraites de deux témoignages.

Lors du procès fait à Adolf Eichmann, l'un des organisateurs de la «solution finale», en Israël en 1961, l'écrivain Yehiel Di-Nur raconte son expérience du camp d'Auschwitz : «J'ai été là-bas pendant deux ans environ. Là-bas, le temps était autre de ce qu'il est ici sur terre. Chaque fraction de seconde appartenait à un cycle de temps différent. Les habitants de cette planète ne portaient pas de noms. Ils n'avaient ni parents ni enfants. Ils ne s'habillaient pas comme nous nous habillons ici. Ils n'étaient pas nés là-bas et ils n'y donnaient pas naissance. Leur respiration même était rythmée par les lois d'une autre nature. Ils ne vivaient ni ne mouraient selon les lois de ce monde. Leurs noms étaient des numéros [...]. Je les vois, ils me regardent, je les vois.»

Primo Levi, né à Turin en 1919, déporté lui aussi à Auschwitz en 1943, écrit dans *Si c'est un homme* en 1947 : «Qu'on imagine maintenant un homme privé non seulement des êtres qu'il aime, mais de sa maison, de ses habitudes, de ses vêtements, de tout enfin, littéralement de tout ce qu'il possède : ce sera un homme vide, réduit à la souffrance et au besoin, dénué de tout discernement, oublieux de toute dignité : car il n'est pas rare, quand on a tout perdu, de se perdre soi-même; ce sera un homme dont on pourra décider de la vie ou de la mort le cœur léger, sans aucune considération d'ordre humain, si ce n'est, tout au plus, le critère d'utilité. On comprendra alors le double sens du terme "camp d'extermination" et ce que nous entendons par l'expression "toucher le fond".» Et, plus loin, il ajoute : «Nous avons voyagé jusqu'ici dans des wagons plombés, nous avons vu nos femmes et nos enfants partir pour le néant; et nous, devenus esclaves, nous avons fait cent fois le parcours monotone de la bête au travail, morts à nous-mêmes avant de mourir à la vie, anonymement. Nous ne reviendrons pas. Personne ne sortira d'ici, qui pourrait porter au monde, avec le signe imprimé dans sa chair, la sinistre nouvelle de ce que l'homme, à Auschwitz, a pu faire d'un autre homme. »

Comme tout événement historique, le génocide des juifs a suscité débats et controverses. D'abord, sur sa place et sa signification : était-il unique ? Faut-il y lire la preuve d'un antisémitisme éternel ? Quelles leçons morales peut-on en tirer ? Ensuite, sur son « utilisation » : là, nous regagnons les rives du conflit israélo-palestinien. Enfin, et c'est le plus effarant, sur son « existence » même : un courant « négationniste » prétend que le génocide n'a jamais eu lieu, que les chambres à gaz sont une invention des juifs, ou des sionistes, pour susciter pitié et solidarité avec Israël.

Reprenons ces interrogations dans l'ordre. Le génocide des juifs (ou *Shoah*) – je n'utiliserai pas le terme « Holocauste », qui implique un sacrifice religieux des victimes – s'inscrivit dans l'ensemble de la stratégie nazie. Celle-ci ne fut pas exclusivement dirigée contre les juifs, même s'ils en furent les principales victimes. Outre les Tsiganes déjà cités, les Slaves, et notamment les Polonais, étaient également visés. Si Hitler avait triomphé, il aurait étendu sa politique d'extermination à tous ceux que les nazis considéraient comme des «sous-hommes». Ainsi que le remarque le journaliste israélien Boaz Evron, l'antisémitisme était «au cœur du système d'extermination, mais ce système était plus vaste; il s'agissait d'un système de "sélection" à l'infini, une institution fondamentale et permanente de l'empire nazi». Et il ajoute : «Le massacre des juifs d'Europe n'est pas un phénomène propre à l'histoire juive exclusivement, mais il fait partie de l'effondrement total du système européen [...]. Les juifs ne sont pas une race à part et différant radicalement du reste des humains, comme le voulaient les nazis, et comme le veulent nos supernationalistes.» Pour beaucoup de sionistes, en effet, le génocide des juifs s'expliquerait seulement par la haine «éternelle» à l'égard du «peuple élu» ; il ne pourrait donc être comparé aux autres génocides, ni s'inscrire dans l'histoire de l'Europe des années 1930.

Je voudrais aborder ce débat sous un autre angle. Dans ses réflexions sur les «abus de la mémoire», le philosophe Tzvetan Todorov explique que si le travail de recouvrement du passé est important, plus important encore est l'usage que nous en faisons. L'événement recouvré, affirme-t-il, peut être lu soit de manière «littérale», soit de manière «exemplaire». Dans le premier cas, le fait traumatisant – ici le génocide des juifs – reste fermé sur lui-même, il est incomparable, nous n'en tirons aucune leçon pour la vie actuelle ; il demeure impénétrable pour qui n'appartient pas au groupe persécuté. Dans le second cas, au contraire, nous décidons « de l'utiliser [et de nous en servir] comme d'un modèle pour comprendre des situations nouvelles ».

Un peu abstrait ? Essayons de redescendre sur terre, sur la Terre sainte. L'historien israélien Tom Segev, que j'ai déjà cité, résume les deux leçons contradictoires que peut tirer la société israélienne du génocide des juifs. 1) Personne n'a le droit de « rappeler aux Israéliens des impératifs moraux tels que le respect des droits de l'homme », car les juifs ont trop souffert et les gouvernements étrangers ont été incapables de leur venir en aide. 2) On peut, au contraire, penser que le génocide « somme chacun de préserver la démocratie, de combattre le racisme, de défendre les droits de l'homme ». Ce débat se retrouve dans toute communauté traumatisée. Contre les replis identitaires, il faut tirer du génocide des juifs une leçon humaniste, universelle. « Vous ne pouvez pas comprendre », disent certains juifs... Si, justement, nous pouvons comprendre. Le génocide des juifs n'est pas un fait inaccessible à tous les non-juifs, il n'est pas l'affaire des seuls juifs, mais celle de tous les êtres humains. Il fait partie du patrimoine commun de l'humanité. Nous devons y réfléchir, précisément parce qu'il nous interroge sur notre «humanité». Comment, par exemple, des millions d'êtres humains ont-ils pu, sans broncher, participer au fonctionnement de l'énorme complexe industriel des camps d'extermination? Sommes-nous, tous autant que nous sommes, à l'abri? Il ne s'agit pas ici de savoir ce que nous ferions dans la même situation – l'Histoire ne se répète pas –, mais de nous demander pourquoi, après le génocide des juifs, le XXe siècle a pu connaître encore tant de monstruosités. Marek Edelman, qui fut un des chefs de l'insurrection du ghetto de Varsovie en 1943, a eu cette formule à propos de la guerre en Bosnie-Herzégovine : «C'est une victoire posthume de Hitler.» Il n'opère pas, souligne Tzvetan Todorov, un amalgame facile entre le génocide et les événements de l'ex-Yougoslavie, mais il souligne ce qui rapproche les deux événements, la «purification ethnique».

De ce point de vue, on peut s'interroger sur le caractère «rituel» de la commémoration du génocide des juifs, souvent déconnectée de toute leçon morale concrète liée au monde dans lequel nous vivons. À force de vouloir en faire un événement à part, on lui ôte toute dimension pédagogique.

Le débat sur la guerre d'Algérie devrait pourtant nous amener à penser plus globalement. La colonisation s'est appuyée sur l'idée d'une «hiérarchie» des civilisations, sur la théorie de l'évolution appliquée aux sociétés humaines. Au XIXe siècle, cette doctrine de la suprématie s'est trouvée confortée par l'invention du concept de «race», concept investi de toute l'aura de la science positiviste. «Nulle philanthropie ou théorie raciale ne peut convaincre des gens raisonnables que la préservation d'une tribu de Cafres de l'Afrique du Sud est plus importante pour l'avenir de l'humanité que l'expansion des grandes nations européennes et de la race blanche en général», écrivait un théoricien allemand, Paul Rohrbach, dans un best-seller publié en 1912, *La Pensée allemande dans le monde*. Cette vision de la gradation raciale contribua aussi à la naissance de l'antisémitisme moderne sur lequel Hitler fonda sa politique d'extermination. Expliquer cette «corrélation» permettrait, par exemple, de mieux faire comprendre aux jeunes originaires du Maghreb ou de l'Afrique noire en quoi ils sont, eux aussi, concernés par l'histoire de la Seconde Guerre mondiale : leurs parents et grands-parents ont été victimes des mêmes théories délirantes et criminelles que les juifs.

Le génocide est transposé au cœur du conflit israélo-palestinien. Comme tous les événements historiques, il est «instrumentalisé», utilisé à des fins politiques. Pour les sionistes, il est la preuve de la nécessité d'Israël comme refuge pour les juifs du monde. Il sert aussi à «intimider» les critiques de l'État d'Israël en les taxant d'antisémitisme plus ou moins camouflé, et à conforter la solidarité des opinions publiques occidentales. Il faut, bien sûr, refuser ce chantage... Mais rien ne serait plus néfaste que de réduire la mémoire juive – ou même israélienne – du génocide à de la simple propagande. Nombre d'Israéliens ont réellement peur, malgré la supériorité incontestable de leur pays. Ils ont vécu dans l'angoisse la crise de l'été 1967 – à la veille de la guerre des Six-Jours contre l'Égypte, la Syrie et la Jordanie –, angoisse avivée par les appels incendiaires des radios arabes. Ils croient déceler dans ces déclarations une filiation avec la propagande des nazis. Et, parfois, l'accueil fait dans le monde arabe à certains des apôtres du négationnisme ne peut que renforcer ce sentiment.

Par ailleurs, j'ai participé depuis deux ans à de nombreux débats, notamment avec de jeunes Français musulmans, à la fois sur le drame palestinien et autour du livre de dialogues écrit avec Tariq Ramadan, *L'Islam en questions*. J'ai parfois perçu un trouble autour du génocide des juifs, de son utilisation, de sa place dans l'Histoire. Il ne faut pas laisser s'installer la confusion entretenue par les négationnistes.

Roger Garaudy et le négationnisme

Résumons les fables qu'ils colportent, rappelées par Pierre Vidal-Naquet : le génocide est un «mythe» et les chambres à gaz une invention. Un des porte-parole de cette «secte», Robert Faurisson, affirme : «Jamais Hitler n'a ordonné ni admis que quiconque fût tué en raison de sa race ou de sa religion.» La «solution finale» se serait résumée à l'expulsion des juifs vers l'est et le nombre des victimes n'aurait pas excédé quelques centaines de milliers. Ce groupe fut, dès son origine, lié aux nostalgiques du nazisme, aux tenants de l'extrême droite et de l'antisémitisme. On compte aussi dans ses rangs nombre d'illuminés, de naïfs, de gogos. En France, il comprend quelques transfuges de l'extrême gauche animés par une hostilité radicale à l'égard du sionisme et d'Israël.

Le 13 juillet 1990, la France a adopté la loi Gayssot, qui modifie la loi sur la liberté de la presse par l'adjonction de l'article 24 bis : est passible de sanctions (emprisonnement d'un an et amende de 300 000 francs, plus diverses peines annexes) quiconque conteste «l'existence d'un ou plusieurs crimes contre l'humanité tels qu'ils sont définis par l'article 6 du statut du Tribunal militaire international annexé à l'accord de Londres du 8 août 1945 et qui ont été commis soit par les membres d'une organisation déclarée criminelle en application de l'article 9 dudit statut, soit par une personne reconnue coupable de tels crimes par une juridiction française ou internationale». En langage plus transparent, on n'a pas le droit de nier l'existence de «crimes contre l'humanité», et notamment le génocide des juifs.

Un tel texte est-il nécessaire? Aux États-Unis, le droit d'afficher des opinions racistes, de nier le génocide, est garanti par la Constitution. En France, non. Chacune des solutions a ses avantages et ses inconvénients. Je ne suis pas certain que je me résignerais à ce que l'on puisse tenir, à la télévision par exemple, des propos hostiles aux Arabes, aux Noirs ou aux juifs. D'un autre côté, condamner quelqu'un parce qu'il nie le génocide des juifs peut laisser croire qu'il existerait une vérité d'État «au-dessus de tout débat» qui étoufferait le travail des historiens.

Une telle «vérité», qui échappe à l'investigation, n'existe ni en France, ni ailleurs dans le monde occidental. Entre 1990 et 1995, il a paru presque autant de travaux sur la persécution et l'extermination des juifs que de 1945 à 1985. D'innombrables études ponctuelles ont permis d'éclaircir les mécanismes de l'extermination, la situation dans les camps, les catégories de population visées. De nombreux clivages partagent les historiens. Certains estiment que la politique antisémite suivait un parcours balisé, défini dès l'origine dans *Mein Kampf* et menant à un objectif clair : l'extermination des juifs. D'autres soulignent le flou des intentions des nazis et rappellent qu'il fallut des années de débats, de tergiversations, d'affrontements entre les centres de pouvoir rivaux sous l'arbitrage de Hitler pour que s'impose la « solution finale ».

Pourquoi, en dépit de toutes les preuves disponibles, des gens continuent-ils de douter de l'existence du génocide ? Les « négationnistes » ne sont pas le seul groupe dont les théories résistent à la réalité. Des millions d'Américains pensent que leur gouvernement et le monde sont infiltrés par les extra-terrestres. Depuis une dizaine d'années, certains, dont des scientifiques confirmés, prétendent que le virus HIV n'est pas à l'origine du sida. En France, on a vu se propager la théorie délirante selon laquelle aucun avion ne se serait écrasé sur le Pentagone le 11 septembre 2001. Mais les thèses de Robert Faurisson et de ses adeptes s'alimentent de l'antisémitisme traditionnel et, plus récemment, s'ancrent dans la critique radicale de l'État d'Israël. Le raisonnement est le suivant : Israël utilise le génocide pour asseoir sa légitimité, donc il faut nier le génocide pour lui ôter sa légitimité. Ces thèses ont connu un regain d'intérêt en France et dans le monde arabe avec Roger Garaudy.

Cet homme a un itinéraire pour le moins surprenant : communiste et stalinien dans les années 1950 et 1960, «rénovateur communiste» dans les années 1970, il est ensuite fasciné par le christianisme avant de se convertir à l'islam. Des convictions fortes, donc, mais peu durables. En 1996, il publie un ouvrage intitulé *Les Mythes fondateurs de la politique israélienne*. En vertu de la loi Gayssot, il est condamné par les tribunaux français pour «contestation de crimes contre l'humanité». De nombreux intellectuels arabes et des Français musulmans ont vu dans ce jugement un procès en sorcellerie, une preuve de l'influence sioniste en France.

Contrairement à la plupart des membres de la «secte» des négationnistes, Roger Garaudy se démarque de l'antisémitisme traditionnel. Il dénonce, par exemple, comme un faux les *Protocoles des Sages de Sion* et salue la mémoire des «martyrs du soulèvement du ghetto de Varsovie». Mais il est mû par une hostilité viscérale à l'égard de l'État d'Israël, hostilité qui l'aveugle et lui vaut de nombreuses sympathies dans le monde arabe. Faut-il célébrer Jean-Marie Le Pen parce qu'il dénonce le blocus contre l'Irak en dépit de ses diatribes anti-arabes ?

«Les mythes du XXe siècle» : tel est l'intitulé du troisième chapitre du livre de Garaudy. Lui qui fut un antifasciste a-t-il désappris qu'il s'agit du titre d'un classique de l'idéologue nazi Alfred Rosenberg? «Y a-t-il eu, au cours de la guerre, un "génocide" des juifs?» s'interroge notre auteur. Non, répond-il; il ne «s'agit pas de l'anéantissement de tout un peuple» puisque le judaïsme «a connu un essor considérable dans le monde depuis 1945». Donc, il n'y a pas eu de génocide des Arméniens puisque des Arméniens ont survécu, ni de génocide des Tutsis, ou des Khmers... Avec un tel raisonnement, on pourrait aussi dire que les Palestiniens n'ont pas été expulsés en 1948 puisque certains ont pu demeurer dans leurs foyers...

Hitler était, bien sûr, hostile aux juifs, poursuit Roger Garaudy, mais il ne voulait pas les exterminer. La «solution finale» se résume à une déportation vers l'est qui s'opéra dans de terribles conditions : marches forcées, famines, privations, épidémies, etc. Il n'y eut donc jamais de machine d'extermination. Et de se lancer dans une macabre comptabilité pour démontrer que les estimations du nombre des victimes ont varié au cours des années. Il est vrai que, concernant le nombre de tués à Auschwitz, les chiffres ont oscillé de 4 millions au lendemain de la guerre à 1 million aujourd'hui. Est-ce étonnant? Connaissait-on le nombre exact de morts durant la guerre d'Algérie en 1962? Et c'est vrai pour plusieurs autres conflits. Mais, dans le cas du génocide des juifs, le nombre de morts est à peu près arrêté : près de 6 millions – la moitié dans les chambres à gaz, 1 million par balles (notamment sur le front de l'Est), les autres ayant péri dans les ghettos et du fait des mauvais traitements, de la sous-alimentation, etc. C'est le résultat d'innombrables travaux dont Roger Garaudy ignore tout. Son texte se borne à un collage de citations sorties de leur contexte, procédé dont il use enfin pour «démontrer» que les chambres à gaz n'ont jamais existé. Ainsi, au sens propre, Roger Garaudy est un négationniste que rien ne sépare de Robert Faurisson et de tous ses acolytes antisémites. En le condamnant, les autorités françaises en ont fait, aux yeux de certains, une victime. Mais il est regrettable que des intellectuels européens ou arabes aient pu défendre son «droit à l'expression» sans condamner les thèses dont il se fait le propagandiste.

Cependant, toute critique de la politique israélienne ou même du sionisme n'équivaut pas à l'expression d'un antisémitisme ou d'une attitude négationniste. Il faut rejeter tous les types de chantage, comme celui qu'exerce Patrick Gaubert, président de la Ligue internationale contre le racisme et l'antisémitisme (Licra), dans une tribune du *Figaro* du 7 juin 2001. Il dénonce la montée des actes antisémites en France et la maladie à l'origine de ces «dangereuses méta-

1923-1948 : la Palestine sous mandat britannique

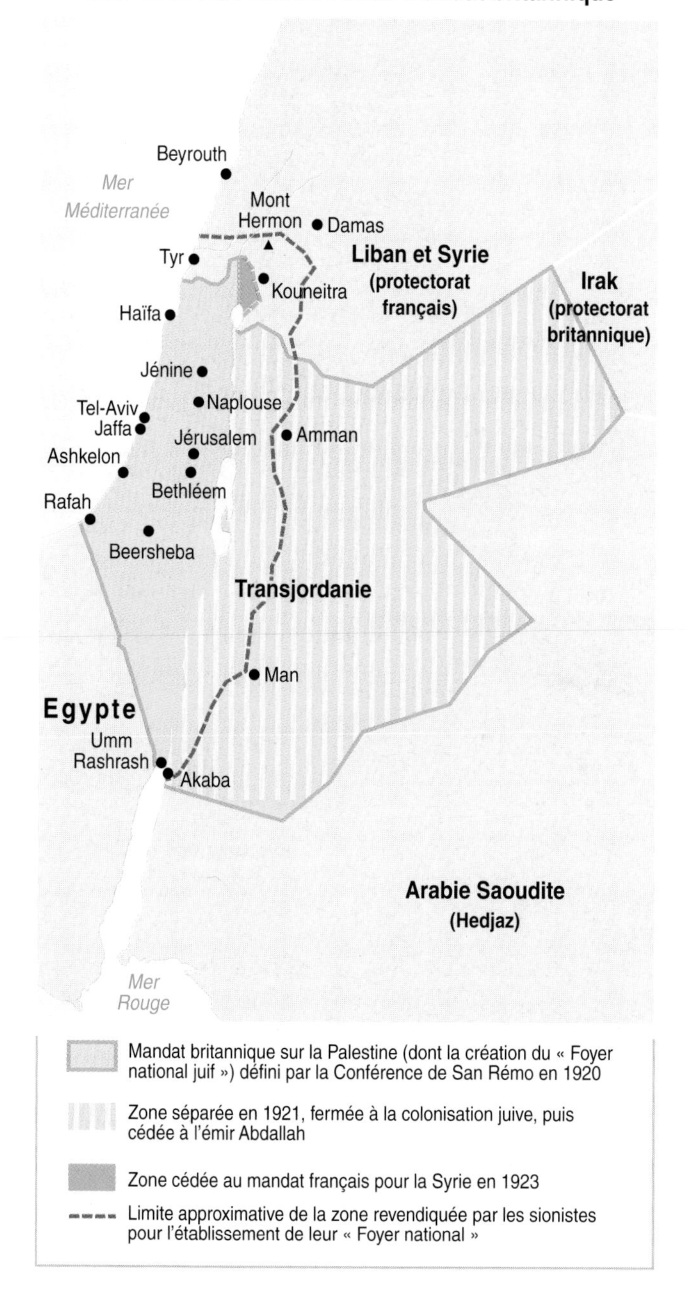

1947-1949 : le plan de partage et les premières annexions

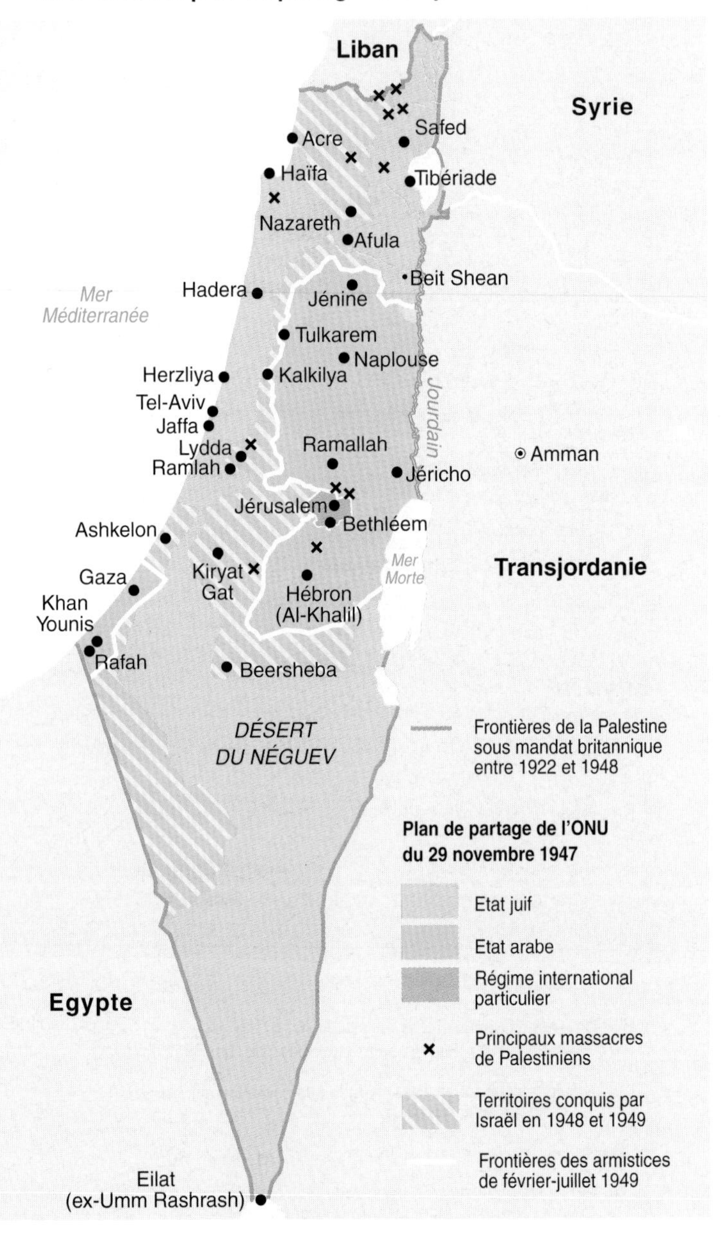

1967-1978 : l'expansion israélienne

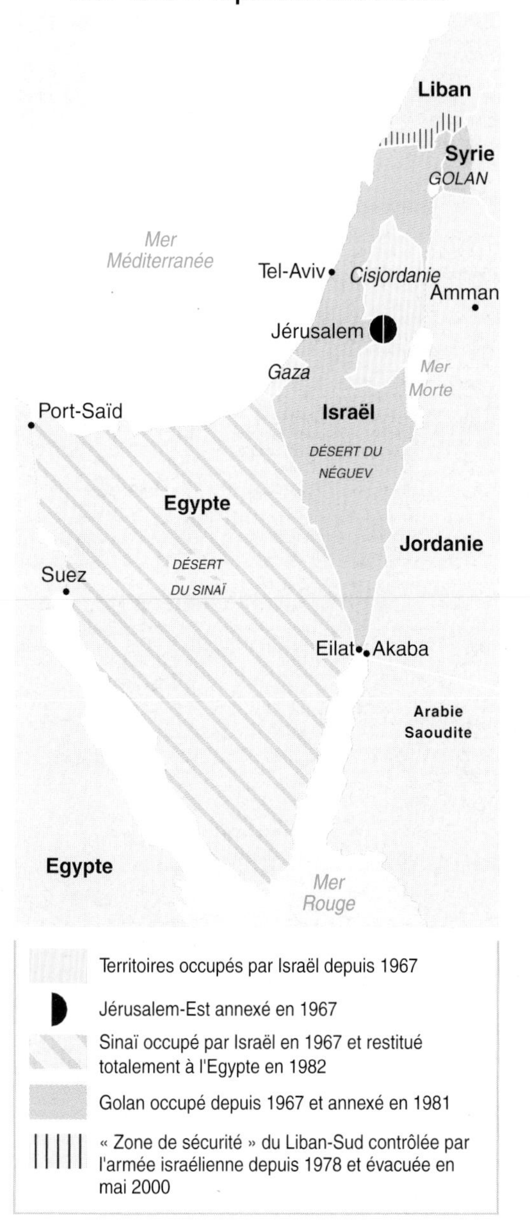

Les réfugiés palestiniens au Proche-Orient au 31 décembre 2001

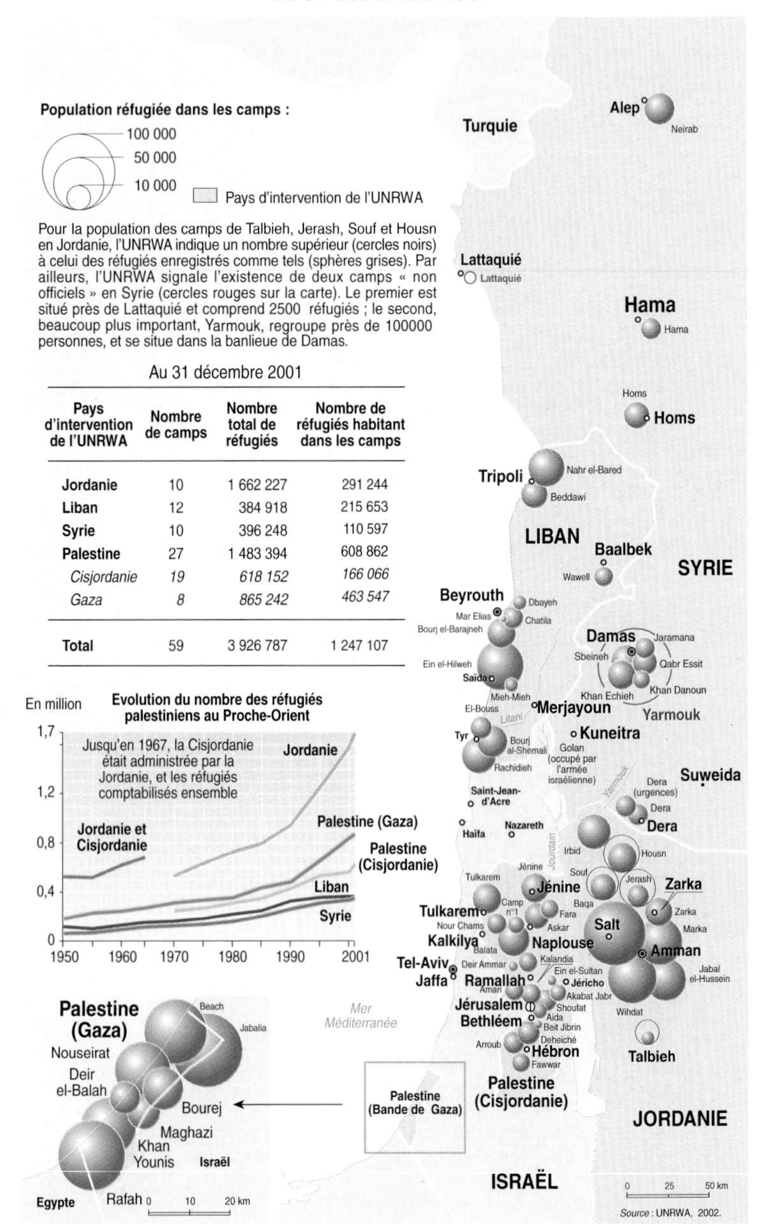

Pays d'intervention de l'UNRWA	Nombre de camps	Nombre total de réfugiés	Nombre de réfugiés habitant dans les camps
Jordanie	10	1 662 227	291 244
Liban	12	384 918	215 653
Syrie	10	396 248	110 597
Palestine	27	1 483 394	608 862
Cisjordanie	*19*	*618 152*	*166 066*
Gaza	*8*	*865 242*	*463 547*
Total	59	3 926 787	1 247 107

Etat ou bantoustans ? La Palestine à la veille de la seconde Intifada en septembre 2000

Sources : Arab Studies Society, Jérusalem ; ministère Palestinien de la Planification et de la Coopération internationale ; Palgric, Jérusalem ; cartographie de Jan de Jong dans Palestinian Academic Society for the Study of International Affairs (Passia, Jérusalem) et Foundation for Middle East Peace (FMEP, Washington DC).

Propositions israéliennes présentées lors des discussions de Camp David en juillet 2000

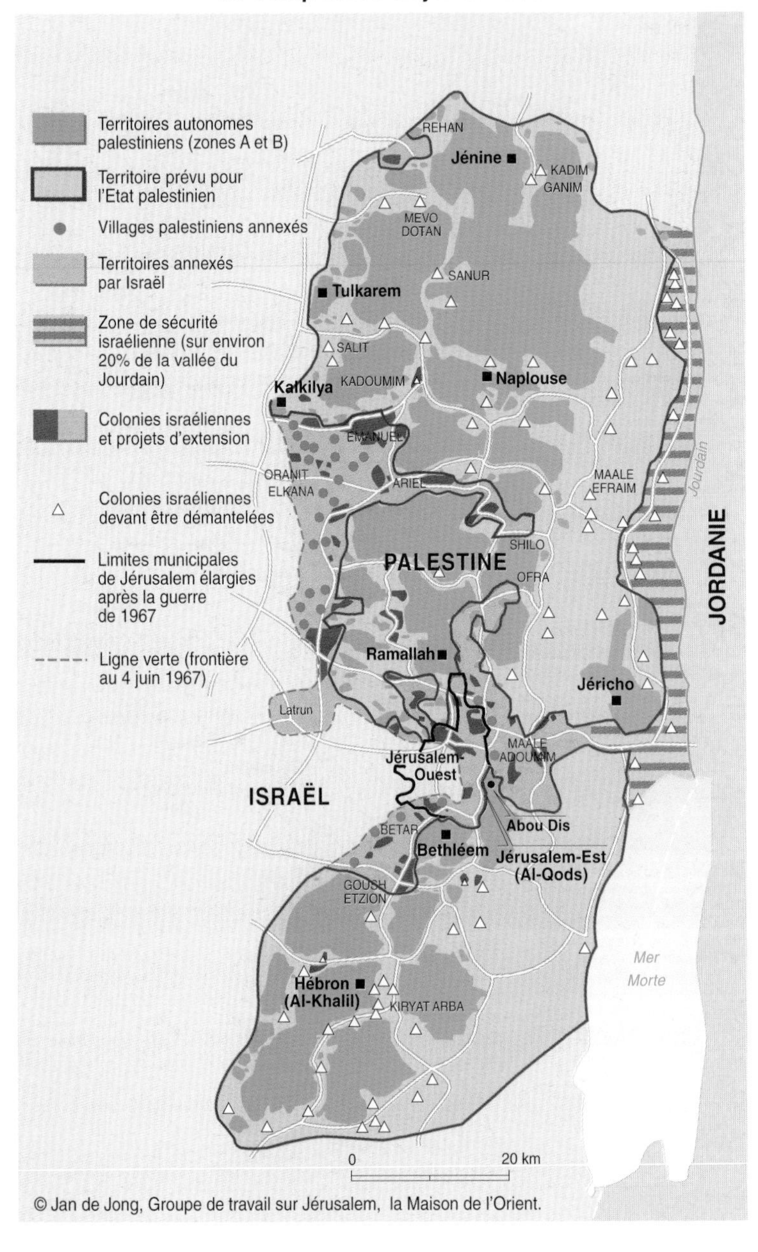

Propositions israéliennes présentées lors des discussions de Taba en janvier 2001

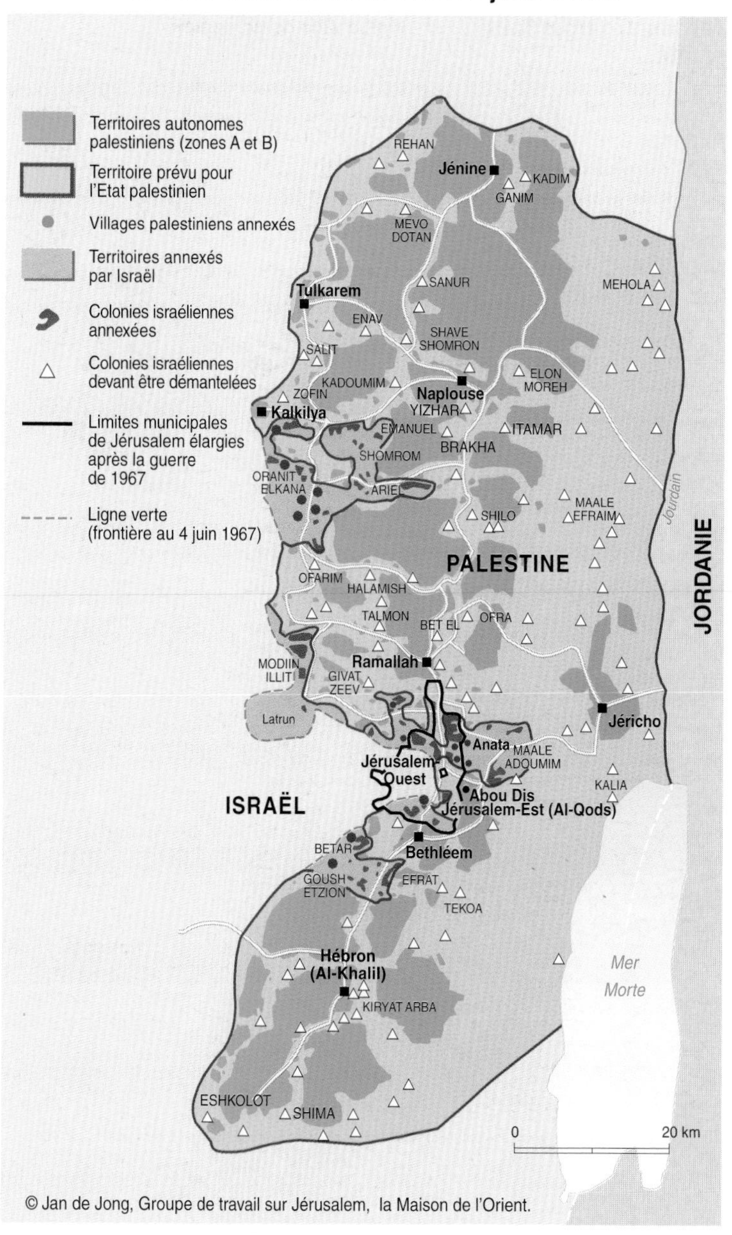

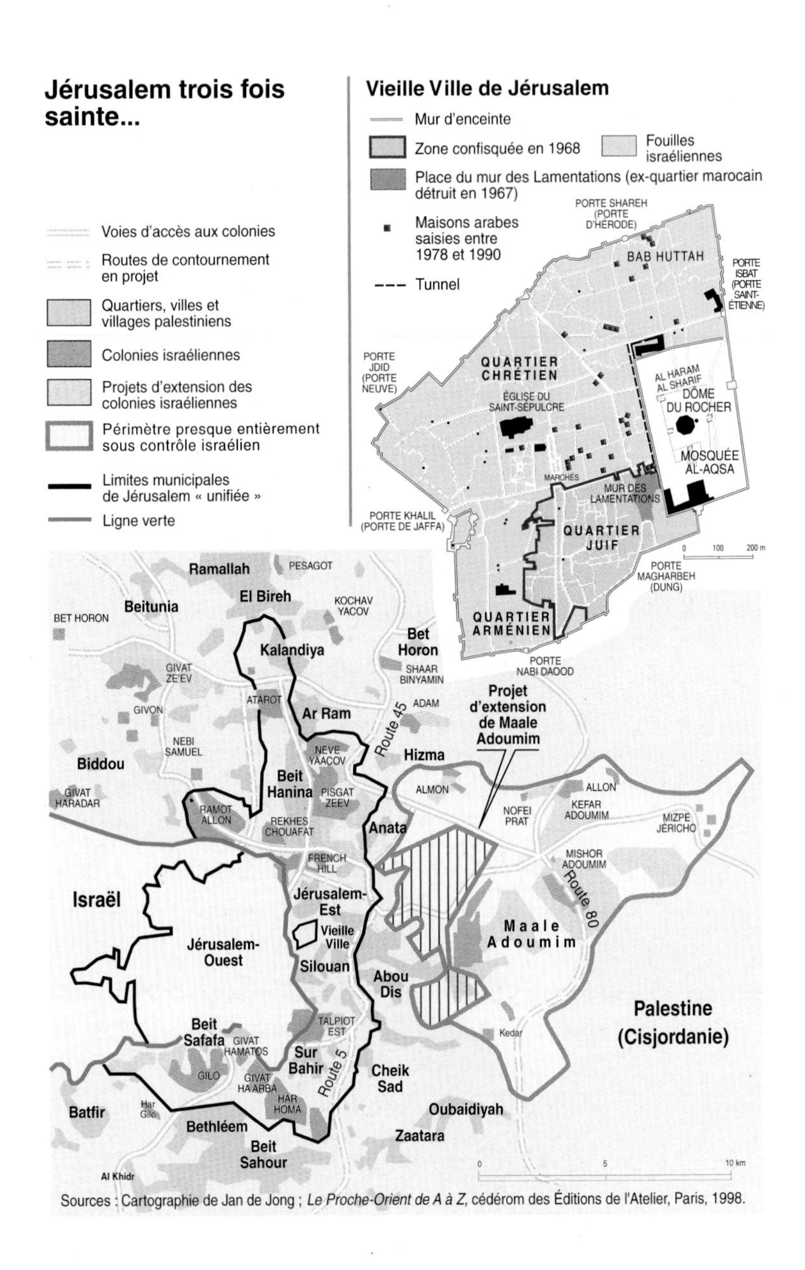

Sources : Cartographie de Jan de Jong ; *Le Proche-Orient de A à Z*, cédérom des Éditions de l'Atelier, Paris, 1998.

stases» : «On connaît le mal. L'antisionisme, vaste et fumeuse entreprise intellectuelle et politique – quand elle n'est pas raciste –, vise à ne pas reconnaître le droit du peuple juif à retourner sur la terre de ses ancêtres ou, plus concrètement, le droit d'Israël à exister.» Le lecteur l'aura compris, le livre qu'il parcourt en ce moment participe d'une entreprise antisémite!

Pour conclure ces réflexions, je citerai l'intellectuel américano-palestinien Edward Said : «La thèse selon laquelle l'Holocauste ne serait qu'une fabrication des sionistes circule ici et là de manière inacceptable. Pourquoi attendons-nous du monde entier qu'il prenne conscience de nos souffrances en tant qu'Arabes si nous ne sommes pas en mesure de prendre conscience de celles des autres, quand bien même il s'agit de nos oppresseurs, et si nous nous révélons incapables de traiter avec les faits dès lors qu'ils dérangent la vision simpliste d'intellectuels bien-pensants qui refusent de voir le lien qui existe entre l'Holocauste et Israël? Dire que nous devons prendre conscience de la réalité de l'Holocauste ne signifie aucunement accepter l'idée selon laquelle l'Holocauste excuse le sionisme du mal fait aux Palestiniens. Au contraire, reconnaître l'histoire de l'Holocauste et la folie du génocide contre le peuple juif nous rend crédibles pour ce qui est de notre propre histoire; cela nous permet de demander aux Israéliens et aux juifs d'établir un lien entre l'Holocauste et les injustices sionistes imposées aux Palestiniens. »

Massacres et « transfert »

Des injustices faites aux Palestiniens ? Pendant des décennies, un débat a opposé les deux camps sur le drame des réfugiés. Je l'ai déjà évoqué : durant la guerre de 1948-1949, de 700 000 à 800 000 Palestiniens ont « quitté » leurs foyers et se sont transformés en « réfugiés ». Ils se sont retrouvés dans des camps de toile, souvent regroupés par village, par quartier. Nous ne sommes pas responsables de leur sort, martelait David Ben Gourion, qui refusait toute idée de « retour ». En abandonnant leurs terres, les Palestiniens auraient répondu aux appels des armées d'invasion arabes qui souhaitaient avoir le champ libre. Pourtant, de nombreux Palestiniens, et notamment des historiens, comme Walid Khalidi, assuraient dès les années 1960 que leur peuple avait été victime de ce que l'on appellerait aujourd'hui un « nettoyage ethnique ». On s'en doute, ce débat n'est pas purement théorique. Reconnaître que les Palestiniens ont été expulsés, c'est accepter qu'ils ont droit, comme tout peuple victime, à des « réparations », morales et matérielles. Pour Israël et pour son opinion publique, c'est accepter de renoncer, en partie, au statut de «victime unique».

L'État juif évoque fréquemment la «pureté des armes», mais les armes ne sont jamais pures. Et les armes victorieuses encore moins... Les vainqueurs sont souvent grisés par leurs succès, par leur supériorité, qui les amène à commettre ce que la loi internationale qualifie de «crimes de guerre». Il ne s'agit pas ici d'affirmer qu'un seul camp aurait commis des exactions en 1948-1949. Ainsi, quelques jours après le massacre de Deir Yassin, dont je vais reparler, un convoi qui faisait la navette entre le secteur juif de Jérusalem et le mont Scopus en transportant nombre de médecins et d'infirmières juifs tomba dans une embuscade : près de 80 personnes furent tuées. Là non plus, n'établissons pas de comptabilité macabre... Mais insistons sur deux éléments : les groupes sionistes, puis la jeune armée israélienne commirent un grand nombre de massacres, dont certains restent encore enfouis dans des documents classés «confidentiel défense» ; les Palestiniens furent victimes d'une politique systématique d'expulsion, justifiée par une certaine conception de l'«État juif».

Commençons par les massacres. Le plus connu est celui de Deir Yassin, perpétré le 9 avril 1948. Ce jour-là, les groupes dissidents de l'Irgoun et du Lehi, soutenus par la Haganah, s'emparent de ce village proche de Jérusalem. Ils assassinent 100 à 110 personnes – on évoquera longtemps le chiffre de 250 –, dont beaucoup de femmes et d'enfants. Le carnage est immédiatement condamné par l'Agence juive, qui présente des excuses, et attribué aux groupes dissidents, la Haganah s'efforçant de dissimuler le rôle qu'elle a joué dans l'opération. Cet événement accélère l'exode des Palestiniens, terrorisés par l'avance des milices juives.

Mais si Deir Yassin est un massacre qui a fait couler beaucoup d'encre, même en Israël, il n'a pas été le seul. Grâce à la persévérance opiniâtre d'historiens palestiniens ainsi qu'au travail de leurs collègues israéliens sur les archives, de nouvelles tueries sont remontées à la surface. Je n'en citerai que deux, rapportées dans son journal par Joseph Nachmani, un haut dirigeant de la Haganah. Il évoque «les actes cruels commis par nos soldats» : «Ils entrèrent dans le village de Safsaf, dont les habitants avaient dressé le drapeau blanc. Ils séparèrent les femmes des hommes, attachèrent les mains de 50 à 60 paysans et les tuèrent, les enterrant dans une fosse commune. Ils violèrent aussi nombre de femmes [...]. À Salha, qui avait aussi hissé le drapeau blanc, ils commirent un vrai massacre, tuant hommes et femmes, 60 à 70 personnes. Où trouvèrent-ils une telle dose de cruauté, équivalente à celle des nazis ? Ils ont appris chez eux. »

L'historien Benny Morris, l'un des pionniers de la « Nouvelle Histoire » en Israël, a publié ces révélations. Il note que Nachmani, chef militaire et dirigeant sioniste actif, qualifié par un journaliste d'« assassin sans larmes », résume le paradoxe d'Israël : « Le sionisme a toujours eu deux visages. Le premier constructif, moral, apte au compromis ; et un autre destructif, égoïste, militant, chauviniste-raciste. Les deux sont sincères et réels. » Depuis l'éclatement de la seconde Intifada en septembre 2000, Benny Morris a lui-même choisi ce deuxième « visage » en se déclarant favorable au « transfert » des Palestiniens. Il fait ainsi l'apologie de ce que le droit international considère comme un « crime contre l'humanité ».

C'est là un fait terrible. Une proportion non négligeable des combattants de la guerre de 1948-1949 étaient des survivants des camps de la mort nazis. Certains en ont tiré les mauvaises leçons... Je ferai un parallèle avec la guerre d'Algérie. Le général Paul Aussaresses a certainement été un homme courageux ; il a participé à des opérations de résistance extrêmement dangereuses dans la France occupée. Il a publié en 2001 ses Mémoires, où il reconnaît avoir torturé ou tué de sa main des dizaines de résistants algériens... Arié Biro, rescapé d'Auschwitz, était le commandant d'un groupe de paras israéliens durant la campagne de 1956; avec ses hommes, il a assassiné une cinquantaine de prisonniers de guerre égyptiens. Il reconnaît les faits. Un journaliste lui dit : «C'était un crime de guerre! », il répond : «D'accord, et après?» Il n'y eut pas d'après, il n'y eut ni enquête ni poursuite...

Les atrocités que j'ai évoquées ont évidemment accéléré l'exode des Palestiniens. Mais revenons au commencement. Après le vote du plan de partage de la Palestine en novembre 1947, les premiers affrontements éclatent en Palestine. Et, avec eux, une première vague de Palestiniens, notamment les couches aisées, émigre vers les pays avoisinants. Ces départs contribuent à désorienter une population encore traumatisée par la répression de 1936-1939. Le véritable exode commence en avril 1947. Il s'explique naturellement par plusieurs facteurs : peur des combats et des représailles, volonté de mettre sa famille à l'abri, crainte de se retrouver isolé dans une région à majorité juive, etc. La situation et l'attitude des troupes juives puis israéliennes ont aussi varié selon les périodes. À Haïfa, par exemple, au printemps 1948, ce sont les dirigeants palestiniens, effrayés par l'offensive de la Haganah, qui décident de partir et appellent la population à les suivre.

Mais le fait qu'une proportion substantielle de Palestiniens a été expulsée *manu militari*, notamment après avril 1948, est désormais avéré. Limitons-nous à quelques exemples. D'abord celui des villes de Lydda et Ramleh, conquises en juillet 1948. Dans ses Mémoires, Itzhak Rabin, celui-là même qui serrera la main de Yasser Arafat en septembre 1993, raconte : «Nous marchions dehors aux côtés de Ben Gourion. Allon [Ygal, commandant du front sud] répéta la question : "Que devons-nous faire de la population ?" Ben Gourion agita la main en un geste qui signifiait : "Chassez-les." Allon et moi avons tenu conseil. J'étais d'accord avec lui qu'il était essentiel de les chasser [...]. La population ne quitta pas volontairement les lieux. Il n'y avait pas d'autre moyen que d'utiliser la force et les tirs d'avertissement pour contraindre les habitants.» Ce passage sera censuré dans la version définitive des Mémoires, mais reproduit par le *New York Times* du 23 octobre 1979. Au total, 70 000 personnes seront ainsi chassées de Lydda et de Ramleh, soit 10 % des réfugiés. «Nous avons décidé de purifier Ramleh», dira plus tard Ben Gourion.

Un autre exemple, révélé plus récemment par Benny Morris, se déroule durant l'opération *Hiram*, en octobre 1948, dans la partie centrale de la Haute-Galilée. L'issue de la guerre ne fait alors aucun doute. Benny Morris a retrouvé des ordres explicites d'expulsion. Moshé Carmel, un dirigeant militaire, câble à tous les commandants locaux : «Faites tout ce qui est en votre pouvoir pour nettoyer rapidement et immédiatement tous les éléments hostiles des zones conquises, en accord avec les ordres qui ont été donnés. Il faut aider les habitants à quitter les zones conquises.» Benny Morris montre aussi que, durant cette opération, les massacres ne furent pas seulement des actes incontrôlés mais semblaient répondre à une directive visant à semer la terreur. Enfin, après la fin des combats, de nombreuses opérations d'expulsion, concernant au moins 20 000 personnes, eurent lieu. Elles furent accompagnées de la destruction de plus de 470 villages palestiniens.

Dès juin 1948, le gouvernement israélien, dans une réunion dont les minutes restent toujours couvertes par le «secret défense», décide d'interdire tout retour des réfugiés au nom de la «sécurité intérieure» – le même argument qu'avancent, par exemple, les Serbes et les Croates, dans les régions de Bosnie qu'ils contrôlent, pour refuser le retour des réfugiés musulmans.

Un ordre central d'expulsion a-t-il été émis? Contrairement aux historiens palestiniens et à certains de ses collègues, Benny Morris le conteste. Ce n'est qu'en avril 1947, et avec la mise en œuvre du plan Dalet, que les commandants sur le terrain reçoivent « carte blanche ». Cette directive militaire prône des « opérations contre les centres de population ennemie situés au sein de notre système de défense ou à proximité [...]. Ces opérations peuvent être menées de la manière suivante : ou bien en détruisant les villages (en y mettant le feu, en les dynamitant et en déposant des mines dans leurs débris), et spécialement dans le cas de centres de population difficiles à maîtriser ; ou bien en montant des opérations de ratissage et de contrôle [...]. En cas de résistance, la force armée doit être anéantie et la population expulsée hors des frontières de l'État ». Benny Morris a découvert récemment un ordre de la Haganah, daté du 24 mars 1948, demandant aux soldats de bien se conduire avec les Palestiniens. Il utilise ce texte à l'appui de sa thèse : ce n'est qu'après avril 1948, à la suite de défaites militaires, que se déploie une stratégie d'expulsion. Au moment où commençent les combats, les dirigeants sionistes ne pensent pas du tout se « débarrasser » des Palestiniens.

Pourtant, très tôt, de nombreux leaders et penseurs sionistes prônent le « transfert ». L'historien palestinien Nur Masalha a écrit deux livres sur la place qu'occupe cette idée dans la pensée sioniste des origines à nos jours. Les exemples sont légion. Herzl lui-même note dans son journal, en 1895 : «Nous devons les exproprier gentiment. Le processus d'expropriation et de déplacement des pauvres doit être accompli à la fois secrètement et avec prudence.» Cette idée est consubstantielle à celle de l'État juif : pour peupler la Palestine de millions d'immigrants, il faut faire place nette. Elle est d'ailleurs entérinée, je l'ai évoqué au chapitre II, en 1937 par la commission Peel, qui prône le départ de plus de 200 000 Arabes. Ben Gourion voit dans ce «transfert obligatoire» l'un des points les plus novateurs du rapport. En mai 1944, il déclare que «le transfert des Arabes est plus facile que tout autre type de transfert. Il y a des États arabes dans la région [...]. Et il est clair que si des Arabes [de Palestine] sont envoyés [dans les pays arabes], cela améliorera leur situation, pas le contraire». Tout le prouve, un consensus rassemble les principaux dirigeants sionistes sur ce thème. Dans ces conditions, un «ordre central» était-il nécessaire?

En résumé, une proportion non négligeable de Palestiniens a été expulsée, d'autres sont partis pour des raisons complexes. Mais, même dans ce cas, il faut rappeler que toute personne qui fuit des combats a le droit de rentrer dans ses foyers : c'est un principe fondamental du droit international, que les Nations unies s'efforcent de mettre en œuvre, par exemple, dans l'ancienne Yougoslavie. Pour les Palestiniens, la résolution 194 de l'Assemblée générale des Nations unies l'a réaffirmé dès le 11 décembre 1948 : « Il y a lieu de permettre aux réfugiés qui le désirent le retour dans leurs foyers le plus tôt possible et de vivre en paix avec leurs voisins, et des indemnités doivent être payées à titre de compensation pour les biens de ceux qui décident de ne pas rentrer dans leurs foyers et pour tout bien perdu ou endommagé [...]. »

Les Nations unies enregistrent, en 2002, 3,9 millions de Palestiniens réfugiés. Leur ombre pèse sur l'avenir de la région. Je reviendrai dans le chapitre suivant sur les solutions possibles à ce problème, mais il est avant tout vital que la communauté internationale comme Israël reconnaissent le tort qui leur a été fait. Leur drame mérite une reconnaissance morale. Il s'agit aussi de s'assurer qu'un tel crime ne pourra se reproduire. Par ailleurs, le monde arabe devra reconnaître Israël dans ses frontières de 1967, et les Palestiniens prendre en compte la réalité de la souffrance juive. Yasser Arafat l'a compris, lui qui avait souhaité, en janvier 1995, assister au cinquantième anniversaire de la libération du camp d'Auschwitz... Pourquoi les organisateurs ont-ils refusé sa présence ?

CHAPITRE VI

Une guerre de plus ? (1950-2002)

« Quand la poussière sera retombée sur la prochaine guerre israélo-palestinienne ou israélo-arabe, nous serons certainement les vainqueurs. Et vous, monsieur le Premier ministre, vous surgirez de la fumée du champ de bataille pour prononcer les plus brillants des éloges devant les tombes fraîchement creusées. Vous pourrez même persuader beaucoup de gens qu'il s'agissait de la plus justifiée de toutes les guerres menées par les juifs. Ce sera une guerre dans laquelle nous gagnerons toutes les batailles, mais ces victoires ne nous conduiront nulle part d'autre qu'au point de départ. Qui mieux que vous sait que, lorsque la dernière bataille sera terminée et que nous serons de nouveau obligés de nous asseoir à la table de négociations avec les Palestiniens et les représentants des pays arabes, avec les Américains, les Européens et peut-être aussi avec une participation internationale, nous devrons discuter des mêmes questions territoriales douloureuses, de Jérusalem et du droit au retour des réfugiés ? » Ainsi s'exprimait, à la fin de l'année 2000, dans une lettre ouverte au Premier ministre Ehoud Barak intitulée « Une minute avant la prochaine guerre », Shaul Mishal, un professeur de sciences politiques à l'université de Tel-Aviv. Son raisonnement implacable s'appuie sur cinquante ans d'une douloureuse histoire.

1950. Israël existe dans des frontières élargies ; sa population a doublé entre 1948 et 1951 ; l'État, reconnu internationalement, adhère à l'Organisation des Nations unies. Il est désormais un fait, un fait accompli, malgré le refus arabe de le reconnaître. La Palestine, elle, a disparu de la carte géographique, mais aussi politique. Les Palestiniens sont dispersés ; certains sont devenus des citoyens d'Israël, d'autres de la Jordanie, des centaines de milliers croupissent dans les camps, dans l'exil.

L'histoire aurait pu s'arrêter là. Nous connaissons de multiples exemples de peuples terrassés, effacés de la surface du globe, soit par extermination, soit par assimilation à d'autres. Moshé Sharett, ministre israélien des Affaires étrangères, expliquait en 1948 : «Les réfugiés palestiniens trouveront leur place dans la diaspora. Grâce à la sélection naturelle, certains résisteront, d'autres pas [...]. La majorité deviendra un rebut du genre humain et se fondra dans les couches les plus pauvres du monde arabe.» À l'appui de cette hypothèse, on pouvait invoquer les échanges massifs de population qui avaient suivi la Seconde Guerre mondiale : des millions d'Allemands furent expulsés vers l'ouest par le nouveau tracé des frontières; des millions de personnes se croisèrent sur les routes lors du partage de l'Inde et de la création du Pakistan, en 1947.

Pour les Palestiniens, les choses en sont allées autrement. Pourquoi? Parce que les États arabes ont rejeté leur intégration? Si la politique de ces gouvernements à l'égard des réfugiés n'a pas été (et n'est pas) toujours très hospitalière – elle a varié, en fonction des pays et selon les époques –, c'est avant tout le refus obstiné, têtu de renoncer de ces centaines de milliers de paysans et de villageois qui explique cet état de fait. Ce refus s'arc-boutait sur une idée, celle d'un «retour» rapide dans leurs foyers. L'exil, supposaient-ils, n'allait durer que quelques mois, les armées arabes allaient se ressaisir, un miracle allait se produire. Mais leur obstination témoignait aussi d'une identité enracinée que le malheur des camps et les déchirements de l'exil allaient fortifier. Une nouvelle génération de militants a transformé ce sentiment diffus en une force politique : la renaissance palestinienne s'est amorcée.

Elle s'épanouit dans le contexte radicalement nouveau des années 1950 et 1960. Deux lignes de fracture partagent le monde depuis 1917 : l'une qui oppose les pays capitalistes à l'Union soviétique, puis, après 1945, à ce que l'on appellera le «camp socialiste» ; l'autre qui sépare l'Occident des pays colonisés, que l'on désignera plus tard par le vocable de «tiers-monde» ou de « Sud». En 1945, le Nord domine la planète, quelques pays asservissent l'essentiel du continent africain, le Proche-Orient, l'Indochine, l'Inde, etc. En vingt ans, le planisphère est chamboulé : un à un les peuples conquièrent leur indépendance, des dizaines de nouveaux États forcent les portes des Nations unies, le Mouvement des non-alignés, lancé en 1955 à Bandung (Indonésie), prend son essor. En Algérie comme au Vietnam, la libération se profile au bout du fusil. En Amérique latine, à l'exemple de Cuba, des guérillas s'étendent contre les régimes militaires ou pro-américains. Les années 1950 et 1960 sont celles des révolutions, de LA révolution. L'Occident incarne le passé, l'avenir sera à la révolution, au socialisme.

Le monde arabe n'est pas épargné. Des mouvements populaires ébranlent les trônes que mettent à bas des officiers trentenaires. Gamal Abdel Nasser et les «officiers libres» prennent le pouvoir au Caire le 23 juillet 1952, Abdel Karim Kassem brise la monarchie à Bagdad le 14 juillet 1958. Le désastre de l'expédition de Suez en 1956 marque l'effondrement des rêves de récupération britanniques et français. La fusion de l'Égypte et de la Syrie en un seul État, sous le nom de «République arabe unie», en 1958 déchaîne des vagues d'espérance. La Voix des Arabes, la radio du Caire, appelle à l'unité, du Maroc au golfe arabo-persique, du Soudan à la Syrie. Les Palestiniens vibrent aux discours de Nasser, à ses homériques éclats de rire en forme de défi aux «impérialistes». L'Algérie accède à l'indépendance en 1962.

Dans ce contexte de radicalisation, et alors que les signaux de paix émis par les «officiers libres» ou par d'autres dirigeants arabes en direction d'Israël restent sans écho, s'ouvre une ère de surenchères. Nasser, le dirigeant le plus populaire de la région, à la tête de l'État le plus puissant, se heurte aux autres centres de pouvoir dans le monde arabe : les pays «réactionnaires», comme l'Arabie saoudite ou la Jordanie, mais aussi ceux qui ont choisi une voie révolutionnaire, comme l'Irak de Kassem. Dans cette compétition, la Palestine devient un enjeu. Qui en sera le meilleur défenseur? Nasser ou Kassem? Une dynamique s'enclenche. En septembre 1963, la Ligue arabe coopte comme «représentant de la Palestine» Ahmed Choukeyri «jusqu'à ce que le peuple palestinien soit en mesure d'élire ses représentants». Le premier sommet des chefs d'État arabes, réuni au Caire du 13 au 17 janvier 1964, décide de jeter les bases d'une «entité palestinienne». Le 28 mai s'ouvre à Jérusalem le premier Congrès national palestinien, qui marque la création de l'Organisation de libération de la Palestine (OLP).

L'OLP se trouve sous la tutelle des pays arabes, notamment de l'Égypte. Elle ne peut seule décider de sa stratégie ni définir ses ambitions ou ses moyens de lutte. Elle ne se réduit pas pour autant à un simple instrument. Une génération de militants palestiniens s'est arrachée à la misère des camps. Elle s'est éduquée dans les écoles de l'Unrwa, l'office des Nations unies chargé des réfugiés palestiniens, a fréquenté les universités du Caire ou de Beyrouth. Elle spécule sur les causes de la défaite de ses aînés et milite activement pour la «revanche». Dans sa grande majorité, elle espère, comme la plupart des élites radicales de la région, que l'unité arabe permettra la «libération de la Palestine». La création de l'OLP répond donc à ses aspirations.

Parallèlement émergent de petites organisations palestiniennes plus autonomes. Dans les années 1950, le Koweit se lance dans une politique de développement grâce à ses richesses pétrolières. De nombreux Palestiniens émigrent dans l'émirat à la recherche de travail. Ils occupent des postes de fonctionnaires, de médecins, d'enseignants. L'un d'entre eux, Yasser Arafat, fonde au mois d'octobre 1959 le Fatah, dont le nom est forgé à partir des initiales arabes inversées de «Mouvement de libération de la Palestine». Le Fatah explique que la libération de la patrie devra être l'œuvre des Palestiniens eux-mêmes, et non des pays arabes. La guerre de libération algérienne sert de modèle. «Tout ce que nous demandons est que vous [les régimes arabes] entouriez la Palestine d'une ceinture défensive et regardiez la bataille entre nous et les sionistes», peut-on lire dans l'une de ses publications. Dès janvier 1965, le Fatah s'engage dans des actions armées contre Israël. Cet activisme, alors que les pays arabes se contentent de proclamations creuses, lui vaut une sympathie grandissante parmi les réfugiés ; mais le mouvement reste marginal jusqu'à la guerre de juin 1967.

1967. À nouveau, la région chavire. En six jours, les armées égyptienne, syrienne et jordanienne sont broyées par Israël. L'ensemble du territoire historique de la Palestine passe sous contrôle israélien ; la Cisjordanie, Gaza et Jérusalem-Est deviennent des « territoires occupés » (Israël conquiert aussi le Golan syrien et le Sinaï égyptien). La défaite de Nasser met un point final aux espérances d'unité arabe. Elle corrobore les thèses du Fatah, qui assure son hégémonie chez les Palestiniens et son contrôle sur l'OLP. Pour la première fois depuis la fin des années 1930, les Palestiniens reprennent en main leur destin.

Parmi les organisations de *fedayin* (« ceux qui se sacrifient »), les plus connues, outre le Fatah de Yasser Arafat, sont le Front populaire pour la libération de la Palestine (FPLP) de George Habache et le Front démocratique pour la libération de la Palestine (FDLP) de Nayef Hawatmeh. À leurs yeux, la lutte armée, et notamment la guerre de guérilla, trace la seule voie vers la libération de la Palestine. Elles se sont installées en Jordanie d'où elles multiplient les coups de main dans les territoires occupés. Un souffle révolutionnaire balaie la région. Jean Genet, l'écrivain français qui participa à cette odyssée ratée, évoque « une révolution grandiose en forme de bouquet d'artifice, un incendie sautant de banque en banque, d'opéra en opéra, de prison en palais de justice ».

Mais la révolution menace la stabilité des États arabes et l'emprise des États-Unis sur le pétrole. Elle est affaiblie par ses divisions internes, par les surenchères jusqu'au-boutistes. En septembre 1970 (« Septembre noir »), les *fedayin* sont écrasés en Jordanie par le roi Hussein. La résistance palestinienne se réfugie au Liban. Pour ne pas disparaître de la scène internationale et par désespoir, elle se lance dans le terrorisme international, symbolisé par l'organisation Septembre noir : détournements d'avions, attaque contre les athlètes israéliens lors des Jeux olympiques de Munich de 1972, etc. Mais, simultanément, elle évolue, questionne l'idée de lutte armée comme « seule voie de la libération de la Palestine », plonge dans l'action politique et diplomatique. Elle finit par abandonner, en 1973, les « opérations extérieures », telles que les attaques contre des objectifs israéliens à l'étranger. Les pays arabes, lors des sommets de Rabat (1973) et d'Alger (1974), reconnaissent l'OLP comme « le seul représentant du peuple palestinien ». Yasser Arafat est reçu triomphalement aux Nations unies. L'OLP ouvre des représentations quasi diplomatiques dans la majorité des pays du tiers-monde, en URSS, dans les «démocraties populaires» et même dans certains pays d'Europe de l'Ouest. Elle assouplit aussi ses positions. Jusqu'en 1967, elle s'en est tenue à la «libération de toute la Palestine» (selon les termes de sa charte nationale), ce qui impliquait l'expulsion des «colons juifs». Mais, dès 1969, le Fatah revendique «l'édification d'un État démocratique où coexisteront musulmans, chrétiens et juifs» : pour la première fois depuis 1948, les Palestiniens reconnaissent que la présence juive en Palestine est irréversible. À partir de 1974, l'OLP propose la construction d'un État en Cisjordanie et à Gaza, malgré l'opposition d'un «front du refus» mené par le FPLP. Sans entraîner la reconnaissance *de jure* de l'État d'Israël, ce nouvel objectif suppose la coexistence de fait de deux États. Mais la situation demeure bloquée : Israël, soutenu par les États-Unis, repousse toute discussion avec une «organisation terroriste» ; certains de ses responsables nient même l'existence d'un peuple palestinien et cherchent un accommodement avec le roi Hussein : la restitution d'une partie de la Cisjordanie en échange de la paix.

Je ne rappellerai pas dans le détail l'histoire des vingt-cinq ans qui séparent l'occupation de juin 1967 de la conférence de Madrid (octobre 1991) et des accords d'Oslo (1993). Je voudrais seulement relever deux évolutions. Durant cette période, les Palestiniens s'orientent, pas à pas, vers l'acceptation du fait israélien. D'autre part, ils constatent la solidarité vacillante des régimes arabes : en 1970, les *fedayin* sont écrasés par l'armée jordanienne ; en 1975-1976, au début de la guerre civile, ils le sont au Liban par l'armée syrienne. Ils apprennent, dans le sang et les larmes, qu'ils ne peuvent compter que sur leurs propres forces, que la fraternité arabe se limite à des proclamations d'autant plus radicales qu'elles ne sont suivies d'aucun effet.

À la fin des années 1970, Le Caire fait « paix à part ». En octobre 1973, les troupes égyptiennes et syriennes tentent de reconquérir leurs territoires occupés en 1967. Mais, après quelques succès initiaux, la « guerre d'Octobre » (dite aussi « guerre du Kippour » ou « guerre du Ramadan ») finit mal. Elle amorce pourtant un tournant car elle débouche en 1978 sur les accords séparés entre l'Égypte et Israël. Le président Anouar El Sadate obtient l'évacuation de tout le Sinaï, mais il lâche les Palestiniens. Pour la première fois, le front arabe est publiquement brisé. En abandonnant le champ de bataille, l'Égypte, le plus puissant des pays arabes, laisse les mains libres au gouvernement israélien, qui envahit le Liban en juin 1982. L'opération est pensée et orchestrée par Ariel Sharon, le puissant ministre de la Défense. L'OLP est chassée et se réfugie en Tunisie, ses combattants sont dispersés à travers le monde arabe, tandis que les milices de la droite libanaise, sous l'œil indifférent ou complice de l'armée israélienne, massacrent les habitants des camps de Sabra et Chatila. Fin d'une époque.

Désormais, le combat palestinien se replie sur la Cisjordanie, Gaza et Jérusalem-Est. Conquis par Israël en 1967, ces territoires sont considérés par toute la communauté internationale comme «occupés». C'est là que pourrait s'édifier un État palestinien indépendant, sur ces 22 % du territoire historique de la Palestine, alors que le plan de partage de 1947 lui en accordait 45 %. «Le vrai jour noir fut le septième jour de la guerre des Six-Jours [1967]. Nous devions alors décider rétroactivement si nous avions mené une guerre défensive ou une guerre de conquête et nous avons opté pour une guerre de conquête. Le déclin d'Israël a commencé ce jour-là.» Ainsi s'exprimait le professeur Yeshayahu Leibovitz, un juif profondément religieux rencontré en Israël. Il avait prévu que les territoires occupés deviendraient le cancer de son pays. Il annonçait la mainmise des religieux sur l'État et le rôle grandissant des services de renseignement, d'abord contre les habitants des territoires occupés, puis contre les Israéliens qui s'opposeraient à la politique d'annexion. Nul n'est prophète en son pays...

Jours ordinaires dans les territoires occupés

La colonisation, «fer de lance» de la stratégie israélienne, rend l'occupation à nulle autre pareille. Dès septembre 1967 s'édifie la première colonie en Cisjordanie, à Kfar Etzion, dans la région de Hébron. Simultanément, le gouvernement à direction travailliste de Levy Eshkol entreprend la «judaïsation» de Jérusalem annexée et «unifiée», proclamée «capitale éternelle d'Israël». Menée au nom de la sécurité ou de l'invocation d'un droit biblique sur «la Judée et la Samarie», sous la pression d'une fraction fanatisée de juifs (dont certains possèdent des passeports américains ou français), cette stratégie débouche sur une nouvelle dépossession des Palestiniens et sur la confiscation de leurs terres. Utilisant, selon les cas, des lois datant du mandat britannique, voire de l'Empire ottoman, les gouvernements israéliens successifs s'approprient 65 % des terres de la Cisjordanie et 40 % de celles de Gaza. En plus de son rôle militaire (notamment dans la vallée du Jourdain), le maillage très dense de la Cisjordanie ou de Gaza permet le contrôle et la surveillance de la population. Les colons armés, parfois membres des groupes d'extrême droite, n'hésitent pas à prêter main-forte aux troupes d'occupation ou à faire eux-mêmes la police. On décompte en 2002 environ 200 000 colons à Jérusalem, autant en Cisjordanie et 7 000 à Gaza. Le terme de «colonie» ne doit pourtant pas nous leurrer. L'esprit pionnier des années 1920 et 1930 s'est essoufflé, sauf chez une poignée de fanatiques. Dès le début des années 1980, Israël utilise, pour «remplir» les colonies, le ressort de la crise du logement. Les jeunes couples ne pouvant trouver d'habitation à un prix abordable dans les grandes villes israéliennes se voient proposer de rejoindre les colonies urbaines en Cisjordanie. Certaines sont situées à moins de 30 kilomètres de Tel-Aviv, et les prix y sont deux à trois fois inférieurs. Des «routes de contournement» permettent aux colons d'éviter toute rencontre avec les autochtones.

Comme le remarque Eitan Felner, directeur exécutif de B'tselem, l'organisation israélienne de défense des droits de la personne dans les territoires occupés, «en donnant aux colons les mêmes droits qu'à ses citoyens, Israël a établi un système de ségrégation et de discrimination dans lequel deux populations vivant dans la même région [la Cisjordanie et Gaza] sont régies par deux systèmes de lois différents. Les Palestiniens sont soumis à la loi militaire et jugés le plus souvent par des cours militaires ; mais des Israéliens qui commettent les mêmes délits sont passibles de la loi et des cours civiles israéliennes. Les colons juifs jouissent des mêmes droits que les juifs en Israël : totale liberté de mouvement, de parole et d'organisation, participation aux élections locales et nationales (israéliennes), sécurité sociale, système de santé, etc. Pour les Palestiniens vivant à quelques centaines de mètres des colonies, la liberté de mouvement est sérieusement limitée. Ils ne peuvent pas voter pour limiter les pouvoirs de l'armée d'occupation et ils ne jouissent pas de la sécurité sociale israélienne. En afrikaans, on appelait ce système l'apartheid ».

Ces colonies poussent partout, aux abords des villes et des villages palestiniens étouffés par ce garrot qui, chaque jour, se resserre d'un cran : l'édification de nouveaux logements devient impossible, l'extension naturelle des agglomérations irréalisable. Les paysans perdent leurs terres et sont contraints de chercher du travail en Israël ; les jeunes ne peuvent construire une maison, fonder une famille. Les Palestiniens deviennent des étrangers dans leur propre patrie.

À Gaza ou à Ramallah, un jeune de 30 ans n'a connu que l'occupation. S'il est un garçon, il a une chance sur deux, si l'on peut dire, d'être passé par les prisons. Son frère, son père ou son cousin a été tué; plusieurs membres de sa famille sont devenus handicapés. Son horizon ne dépasse pas quelques kilomètres carrés. Comment dire l'horreur prolongée de cette vie? Comment aurions-nous réagi en France si ces jeunes avaient été nos enfants?

J'ai retrouvé quelques notes, prises au fil de voyages là-bas, où je tente de dire à la fois l'angoisse et la résistance.

1985. «Pour revenir de Gaza à Tel-Aviv, j'emprunte, avec un ami israélien, un taxi collectif. En notre compagnie, cinq jeunes Palestiniens. Sans être tendue, l'atmosphère n'est pas propice aux échanges, bien que nous parlions arabe. Les chants arabes, que le chauffeur écoute sur son "mini-cassette", meublent le silence. S'engage alors une discussion sur la chanson; nous lui demandons de mettre une cassette de Marcel Khalifé, un chanteur progressiste libanais. La glace est aussitôt rompue; nous ne sommes pas "de l'autre bord", les langues se délient. Tous les passagers se rendent à Tel-Aviv où ils sont, pour la plupart, employés dans des restaurants et gagnent de 1000 à 1500 francs par mois. Comme des dizaines de milliers d'autres Palestiniens, ils vont, tous les jours, travailler de l'autre côté de la "ligne verte", cette frontière qui sépare

Israël des territoires occupés. Eux, ils sont “déclarés”, “recensés” ; ce qui n’est pas le cas de tous. Ainsi, chaque matin, à Tel-Aviv, se tient le “marché aux esclaves” où, dès 5 heures, se regroupent des hommes venus de Gaza pour vendre leur force de travail. Des entrepreneurs israéliens passent en voiture et embauchent le nombre de bras qui leur sont nécessaires. Payés à la journée, sans garanties sociales ni stabilité d’emploi, ils représentent une main-d’œuvre corvéable à merci... Comme les immigrés en Europe, les Palestiniens occupent des emplois que personne ne veut assurer à leur place.

«La vie quotidienne d’un jeune Palestinien est rien moins que facile sous l’occupation. Notre chauffeur raconte l’histoire, à la fois exemplaire et banale, de son frère. “Il est parti en Yougoslavie pour faire des études de mécanique. Après la première année, consacrée à l’apprentissage de la langue, il est revenu ici en vacances. Il a été convoqué par la police, qui lui a mis en main le marché suivant : soit tu travailles pour nous, soit tu ne pourras plus voyager. Il a refusé, et alors ils ont ressorti une affaire, vieille de quatre ans, de participation à une manifestation. Il est passé devant un tribunal militaire, où il suffit d’un seul témoin à charge pour être condamné. La police a évidemment trouvé un témoin qui l’a “reconnu”, quatre ans après ! Il a écopé de trois mois de prison ferme et, maintenant, il ne peut plus voyager."

« Cette législation d'exception s'applique à grande échelle; l'accusation la plus fréquente est celle de "jet de pierres" qui peut aller chercher – théoriquement – jusqu'à vingt ans de prison ferme. Quelques exemples tirés de la presse : le 29 janvier 1985, Mujahed Nimr Ahmad Nabhan, un jeune de 15 ans du camp de réfugiés de Kalandia, est condamné à un an de prison ferme et trois ans avec sursis pour jet de pierres. Le 11 février, Ahmed Moussa Issa, 14 ans, du camp de réfugiés de Dheisheh, est condamné à cinq ans de prison pour avoir jeté un cocktail Molotov. Le 28 mars, Anis Abdal Karim Sa'ed, 16 ans, originaire de Gaza, est condamné à six mois de prison ferme et cinq mois avec sursis pour jet de pierres. Peu de jeunes, ici, qui n'aient, à un moment ou à un autre, connu la prison. Avec 4000 prisonniers de "sécurité" qui passent – ou demeurent – chaque année en prison, les territoires occupés ont l'un des plus forts taux de prisonniers politiques du monde. »

En décembre 1987 éclate l'Intifada, la « révolte des pierres ». Jour après jour, des jeunes affrontent les forces d'occupation avec des cailloux; la population organise grèves et manifestations; le boycott des produits israéliens s'étend. Quelques semaines plus tard, je me rends en Palestine. Carnets de voyage :

«Appelons-le Bassam. Nous l'avons rencontré à Hébron. Il se nomme Ahmed à Naplouse, Arabi à Ramallah. Il a 20 ans, n'a connu que l'occupation, et trouve pourtant que c'est le plus bel âge de la vie. Il a les yeux rouges de fatigue et ne sait pas encore où il dormira cette nuit ; il craint une nouvelle interpellation. En quelques mois, la Cisjordanie et Gaza sont devenus un immense pénitencier : plus de 9 000 emprisonnés. Il faudrait incarcérer 300 000 personnes en France pour atteindre une proportion équivalente de prisonniers politiques.

«Bassam connaît tous les recoins de sa ville, tous les habitants de son quartier. Il s'y promène en toute liberté, frappe à toutes les portes, demande à chacun de raconter la dernière incursion des colons, la manière dont la population les a repoussés, comment l'armée les a secourus. Bassam évite les grands axes et les patrouilles israéliennes qui les sillonnent ; mais il sait que le pays réel échappe à leur contrôle, malgré les milliers d'hommes utilisés à la tâche – auparavant 500 soldats suffisaient à maintenir l'ordre dans toute la Cisjordanie.

«Bassam est communiste ; Ahmed adhère à la Shabiba, l'organisation de jeunesse proche du Fatah ; Arabi ne se reconnaît dans aucun groupe particulier, mais l'OLP résume pour lui son identité palestinienne. Ils ont tous ce même sourire, cette même assurance, cette confiance retrouvée qui surprend le visiteur habitué à la désespérance d'avant l'Intifada. »

Intifada : ce mot peut se traduire par « soulèvement ». La Déclaration française des droits de l'homme et du citoyen du 24 juin 1793 rappelle : « Quand le gouvernement viole les droits des peuples, l'insurrection est pour le peuple, et pour chaque portion du peuple, le plus sacré des droits et le plus indispensable des devoirs. »

Cette Intifada marque un tournant. David et Goliath inversent leurs rôles, Israël s'expose comme un occupant impitoyable. Les médias internationaux transmettent les images d'adolescents armés de pierres abattus par l'armée. En Israël même grandit la conscience que l'on ne peut continuer impunément à diriger la Cisjordanie et Gaza. Les plus conscients rappellent la formule de Friedrich Engels : « Un peuple qui en opprime un autre ne saurait lui-même s'émanciper. »

« État juif » et démocratie

Comment parler d'Israël? C'est peu dire que le pays a changé. Il est devenu, en quelques décennies, grâce notamment à l'aide massive des États-Unis, une puissance économique moderne. Il a développé une industrie de haute technologie et complètement maîtrisé la révolution Internet. Il a pu accueillir, dans les années 1980, des centaines de milliers d'immigrants soviétiques. Son PNB par habitant est d'environ 19 000 dollars, supérieur à celui de l'Espagne, proche de celui de la Grande-Bretagne (22 000 dollars) ou de la France (24 000 dollars). Il est enfin, pour ses citoyens juifs, une démocratie vivante, même si elle souffre des mêmes défauts que les autres démocraties occidentales : inégalités sociales, règne de l'argent, politique spectacle, etc. C'est aussi une société profondément divisée, entre ashkénazes et séfarades (juifs occidentaux et juifs orientaux), entre laïques et religieux, entre les Russes et les autres, etc. Mais ce qui fait d'Israël un État à part dans la famille des démocraties occidentales, c'est d'un côté son caractère d'«État juif», de l'autre l'occupation qui perdure.

Sur les six millions d'Israéliens, un million sont des Palestiniens, citoyens disposant du droit de vote mais de seconde zone. Ils ont vécu jusqu'en 1966 sous «gouvernement militaire» car on les considérait (et on les considère encore souvent) comme des «ennemis de l'intérieur». Ils ont subi confiscation de terres, brimades, racisme, mais ont aussi accédé à l'éducation, pris conscience de leur identité et de leur poids dans la société israélienne. Lors du déclenchement de la seconde Intifada, les Palestiniens d'Israël ont exprimé leur solidarité avec leurs frères et leurs sœurs de l'autre côté de la « ligne verte » (frontières de 1967). Ils ont organisé en octobre 2000 des manifestations durant lesquelles 13 d'entre eux ont été tués par la police. Imaginons en France des incidents, même violents, dans les banlieues dont le bilan serait de 13 morts... Après bien des tergiversations, le gouvernement d'Ehoud Barak a accepté la création d'une commission d'enquête. Ses conclusions devraient être remises à la fin de l'année 2002, mais déjà les témoignages accablent les responsables. Contrairement à ce qui avait été avancé au départ, les forces de l'ordre ont fait usage de balles réelles. Un commandant d'unité de la police a expliqué qu'il avait reçu l'ordre de tirer non seulement sur tous ceux qui mettaient leur vie en danger (aucun manifestant pourtant n'avait d'armes à feu), mais aussi sur ceux qui brandissaient... des frondes.

Israël n'ambitionne pas seulement d'être un refuge, un État pour les juifs, mais aussi un « État juif ». Dans un entretien à *Libération* (6 juillet 2001), Sallai Meridor, président de l'Agence juive, proclame : « Il faut à tout prix maintenir une majorité juive en Israël.» À tout prix? Quelle serait notre indignation si un dirigeant serbe de Bosnie expliquait qu'il faut, «à tout prix», maintenir une majorité serbe en Bosnie?

Israël se heurte à un dilemme fondamental : comment être à la fois un «État juif» et une démocratie? Un député arabe s'est porté, il y a quelques années, candidat au poste de Premier ministre. Un Arabe peut-il être Premier ministre d'un «État juif» ? Les citoyens arabes (ils sont un million) peuvent-ils être des citoyens comme les autres dans un «État juif» ? Cette contradiction ne cesse de hanter Israël.

L'occupation des territoires palestiniens ronge aussi le pays. Alors que nous polémiquons en France sur l'usage de la torture durant la guerre d'Algérie, Israël reste la seule démocratie à avoir autorisé, des décennies durant, l'utilisation de «pressions physiques modérées» sur les prisonniers. La torture y est d'usage courant. Au fil du temps, la prolongation de la colonisation a gangrené la société israélienne, abaissé ses barrières morales. Mais Israël est une démocratie, affirme-t-on. Oui, et alors? Une démocratie peut mener des guerres de conquête, des guerres coloniales. Une démocratie peut torturer des résistants, assassiner des innocents, martyriser un peuple, comme l'ont fait la France en Algérie ou les États-Unis au Vietnam. Certes, il existe alors des espaces de liberté qui permettent de dénoncer ces actions, mais cela n'en diminue pas la portée. Une bombe «démocratique» qui tombe sur un camp de réfugiés est-elle moins meurtrière qu'une bombe lancée par un pouvoir dictatorial?

Percée à Oslo

Les temps changent. À la fin des années 1980, une redistribution des cartes s'opère sur les scènes internationale et régionale : l'Union soviétique sombre et les États-Unis emportent une victoire éclatante sur l'Irak. Pour libérer le Koweit, Washington a pris, au nom du «droit international», la tête d'une croisade dans laquelle se sont enrôlés l'Égypte, l'Arabie Saoudite, la Syrie et d'autres pays arabes. Mais le droit international ne s'applique-t-il pas aussi à la Palestine? Pourquoi les résolutions des Nations unies seraient-elles pertinentes pour le Koweit mais resteraient-elles lettre morte pour la Palestine? Poussés par leurs alliés arabes, les États-Unis contribuent de manière décisive à la convocation d'une conférence de paix à Madrid en octobre 1991 : pour la première fois depuis 1949, des délégations des divers pays arabes, des Palestiniens et d'Israël se retrouvent autour d'une même table.

La « fatigue » des deux camps contribue aussi au dégel. En Israël, un Mouvement pour la paix divers, composite, a grandi. Le ciment idéologique qui soude le pays s'est délité. Une partie des jeunes refuse les trois années de service militaire, obligatoires sauf pour les élèves des écoles religieuses. Ils veulent une vie « normale », ne vibrent pas aux noms bibliques de Judée et de Samarie, n'ont aucune vocation de « pionniers ». De leur côté, les Palestiniens, abattus par une coûteuse résistance, aspirent à voir reconnaître rapidement leurs droits sur la Cisjordanie et Gaza.

En marge des négociations israélo-arabes, Israéliens et Palestiniens se réunissent secrètement à Oslo et adoptent une « Déclaration de principes sur les arrangements intérimaires d'autonomie ». « Il est temps, affirment le gouvernement israélien et l'Organisation de libération de la Palestine, de mettre fin à des décennies de conflit, de reconnaître nos droits légitimes et politiques réciproques, de s'efforcer de vivre dans la coexistence pacifique et la dignité et la sécurité mutuelles, et de parvenir à un règlement de paix juste, durable et global ainsi qu'à une réconciliation historique. » Le 13 septembre 1993, à Washington, sous la tutelle bienveillante du président américain Bill Clinton, Yasser Arafat et Itzhak Rabin se serrent la main. Un espoir fou balaie la région, le monde. Palestiniens et Israéliens semblent parvenus au bord de la paix.

Que prévoient les accords d'Oslo? Une période d'« autonomie » de cinq ans en Cisjordanie et à Gaza, pendant laquelle une Autorité palestinienne administrera la vie des Palestiniens. L'armée d'occupation se redéploiera en dehors des villes et des villages mais continuera de contrôler les frontières extérieures ainsi que la sécurité et les colonies. Les principaux contentieux – tracé des frontières, Jérusalem, réfugiés, colonies, etc. – sont laissés « en suspens » et feront l'objet de négociations sur un arrangement permanent, censées commencer dès la troisième année de l'autonomie, soit en mai 1996. La philosophie des accords, définie par la résolution 242 du Conseil de sécurité des Nations unies, est résumée dans la formule : « la paix contre les territoires ». Mais Israël exigera et la paix et les territoires...

Le flou, l'« ambiguïté constructive », comme disaient les Américains, caractérisait le texte d'Oslo. Celui-ci représentait néanmoins une occasion historique de mettre fin au conflit sur la base de la coexistence de deux peuples, de deux États. Cette chance, il faut l'admettre, a été ratée. Certains proclament qu'ils l'avaient prévu, que l'issue était inéluctable. Pourtant, l'Histoire dépend des hommes et des femmes qui la font. Ni l'assassinat d'Itzhak Rabin par un extrémiste israélien, ni la victoire de la droite israélienne aux élections de 1996 par quelques milliers de voix, ni les erreurs de calcul d'Ehoud Barak n'étaient «inscrits dans le ciel».

Bien sûr, l'échec résulte aussi de tendances plus lourdes. La paix a été manquée avant tout parce que la puissance dominante, Israël, gouvernement comme opinion publique, a refusé de reconnaître l'Autre, le Palestinien, comme un égal, comme un être humain jouissant des mêmes prérogatives que tout autre être humain. Le droit des Palestiniens à la dignité, à la liberté, à la sécurité et à l'indépendance a été systématiquement subordonné à celui des Israéliens. On ne le rappellera jamais assez : les accords d'Oslo n'étaient pas un contrat de mariage entre deux époux égaux en droits et en devoirs, mais un arrangement entre un occupant et un occupé. Et l'occupant imposa, à chaque étape et avec l'appui des États-Unis, son seul point de vue. Si une dizaine d'accords furent signés entre 1993 et 2000, seule une faible proportion des obligations inscrites dans les textes furent appliquées : tous les prisonniers politiques palestiniens ne furent pas libérés, le port de Gaza ne fut pas construit, le «passage sûr» entre la Cisjordanie et Gaza fut entrouvert avec cinq ans de retard sur le calendrier, etc. Itzhak Rabin proclamait qu'« aucune date n'est sacrée ». Les délais accumulés useront la patience des Palestiniens...

La paix, qui aurait dû déboucher sur l'indépendance et la prospérité, véhiculait vexations et privations. La gangrène de la colonisation dévorait les terres, inexorablement. Le gouvernement israélien imposa un découpage kafkaïen de la Cisjordanie (voir cartes, cahier central) en zones A, B et C : la zone A – les grandes villes – sous contrôle total palestinien ; la zone B – la grande majorité des villages palestiniens – sous autorité administrative palestinienne, l'armée israélienne restant responsable de la sécurité ; la zone C occupée. En l'an 2000, au moment où éclate la seconde Intifada, l'Autorité palestinienne règne sur des confettis éparpillés sur seulement 40 % de la Cisjordanie (si l'on additionne les zones A et B) et sur les deux tiers de la bande de Gaza.

Muna Hamzeh a longtemps habité le camp de réfugiés de Dheisheh, proche de Bethléem, en zone A, c'est-à-dire en « territoire palestinien ». Elle s'y est installée après un long séjour aux États-Unis. En 1998, quand je la rencontre, elle est confinée depuis quatre ans déjà à l'intérieur de ces quelques kilomètres carrés. Son histoire condense le cauchemar dans lequel se débattent nombre de ses compatriotes. Muna possède un passeport américain. Tous les trois mois, elle doit quitter le pays et solliciter à nouveau un visa octroyé par les autorités israéliennes. À partir de 1994, elle refuse d'accomplir cette démarche. N'est-elle donc pas chez elle, en Palestine? En zone A elle peut vivre cloîtrée, mais si elle s'aventure en zones B ou C elle risque à tout moment d'être contrôlée par l'armée israélienne et... expulsée de sa patrie. Son journal, *Jours ordinaires à Dheisheh*, publié en anglais et en français, traduit mieux que toute analyse politique les causes de la seconde Intifada.

Hébron exprime aussi la déraison des choix israéliens. Cette grande agglomération palestinienne aurait dû être évacuée à la fin de 1995, comme l'ensemble des autres villes de Cisjordanie. Il n'en fut rien. Pourquoi? Depuis 1979, au cœur de cette «ville des Patriarches» où se trouverait le tombeau d'Abraham, se sont imposés quelques centaines de fanatiques juifs. Illuminés, fous de Jéhovah, armés de mitraillettes, protégés par l'armée, ils provoquent et agressent en permanence la population arabe. En janvier 1997, sous l'égide des États-Unis, le gouvernement de droite et Yasser Arafat paraphent un invraisemblable arrangement. La ville est divisée en deux : une partie, qui englobe les 400 colons et... 30000 Palestiniens, demeure sous occupation, l'autre partie est évacuée. Durant plusieurs mois après le début de la seconde Intifada, ces populations seront maintenues sous couvre-feu permanent vingt-quatre heures sur vingt-quatre. Il n'est levé que pour quelques heures, tous les trois jours, pour permettre aux habitants de se procurer de la nourriture. Les enfants sont confinés chez eux et ne peuvent plus se rendre à l'école. L'intérêt de 400 exaltés a prévalu.

Qui dira les humiliations quotidiennes que subissent les Palestiniens durant ces «années de paix» ? Un étudiant en route pour son université n'est jamais sûr de franchir les barrages. Un ouvrier qui travaille chaque jour en Israël (il n'a pas le droit d'y dormir pour des «raisons de sécurité») se lève à 4 heures du matin pour découvrir que l'armée ne lui permet pas de passer. Des centaines d'habitations, construites prétendument illégalement, ont été détruites. Depuis le début de 1993, Jérusalem est interdite aux Palestiniens de Cisjordanie; de nombreux habitants de la ville ont été privés de leurs papiers et expulsés. Pour la majorité des Palestiniens, la vie quotidienne s'est dégradée depuis la signature des accords d'Oslo.

Malgré tout, l'opinion palestinienne a continué, des années durant, d'appuyer le «processus de paix». L'Autorité s'est mise en place et Yasser Arafat est rentré triomphalement à Gaza. Des élections eurent lieu au début de 1996 pour désigner un Conseil législatif; la participation fut massive. Les Palestiniens voulaient croire que l'indépendance scintillait au bout du chemin. Après la signature des accords d'Oslo II, en septembre 1995, une certaine confiance s'instaura même entre Itzhak Rabin et Yasser Arafat. Mais, le 4 novembre 1995, le Premier ministre israélien fut assassiné par un fanatique juif au cours d'un grand meeting pacifiste. Shimon Pérès lui succéda. Une série d'attentats-suicides, lancés par le mouvement islamiste Hamas au printemps 1996, débouchèrent sur la victoire, de justesse, de la droite et de Benyamin Netanyahou aux élections.

Quel rôle le terrorisme a-t-il joué dans l'échec d'Oslo ? Essayons d'abord de préciser ce concept flou, manipulé par les uns et par les autres, exploité pour discréditer l'adversaire. Il n'en existe aucune définition par le droit international. Nous l'utiliserons, par commodité, pour désigner les violences dirigées de manière aveugle contre des civils. Les États sont ceux qui en font le plus grand usage : la France en Algérie, les États-Unis au Vietnam, la Russie en Tchétchénie, Israël au Liban, de nombreux gouvernements du tiers-monde, de l'Irak à l'Indonésie, contre leur propre population. Le terrorisme est aussi souvent l'arme des démunis, la réponse du faible au fort. Il a notamment servi lors des luttes de libération. L'Histoire l'a fréquemment confirmé :

il n'est pas rare que les anciens terroristes endossent l'habit de dirigeants respectés. Comme je l'ai évoqué dans le chapitre II, Menahem Begin et Itzhak Shamir, à la tête de l'Irgoun et du Lehi, ont perpétré dans les années 1930 et 1940 des attentats meurtriers contre des civils arabes avant d'accéder aux plus hautes charges en Israël. Les «tueurs du FLN» dénoncés jour après jour par les autorités et par la majorité de la presse française sont ceux qui dirigent l'Algérie indépendante. Le pouvoir sud-africain blanc a finalement traité avec le Congrès national africain (ANC), dont les méthodes étaient régulièrement dénoncées par les États-Unis et le Royaume-Uni. Itzhak Rabin a serré la main à Yasser Arafat, «un homme aux mains couvertes de sang juif».

Les images atroces des victimes du terrorisme secouent les opinions. Elles provoquent, à juste titre, une indignation contre ceux qui utilisent cette arme aveugle. Pourtant, il faut dépasser la condamnation morale pour replonger dans la réalité politique. Et s'interroger : peut-on combattre efficacement le terrorisme sans en éliminer les causes ?

Le mouvement Hamas (Mouvement de la résistance islamique) est issu de l'organisation des Frères musulmans, qui fut, dans les années 1970 et au début des années 1980, aidée par les services de renseignement israéliens pour... lutter contre l'OLP. Le Hamas a exprimé dès 1993 son hostilité aux accords d'Oslo. Bien structuré, contrôlant des fondations d'aide aux populations les plus pauvres et un réseau de mosquées, il a créé une structure clandestine, les brigades Ezzedine El Qassam. Celles-ci ont mené des campagnes d'attentats contre des civils israéliens, notamment au printemps 1996, qui firent des dizaines de morts. Pour obtenir l'arrêt de ces actions, l'Autorité palestinienne a utilisé contre cette organisation, entre 1997 et 2000, la tactique du bâton et de la carotte, de la répression et de la «cooptation». Elle est parvenue à réduire considérablement le nombre d'attentats et à isoler le Hamas d'une population qui pariait encore sur la paix.

En revanche, la riposte israélienne au terrorisme fut illogique. Tout en exigeant un combat plus déterminé de l'Autorité pour le contrer, le gouvernement de Tel-Aviv a répliqué en freinant les négociations, ce qui donnait au Hamas une sorte de droit de veto sur le processus de paix, éloignait la perspective d'une solution et alimentait l'exaspération de la population palestinienne. Par la suite, le gouvernement israélien a multiplié les représailles collectives, contraires au droit humanitaire international, et notamment les «bouclages» : pendant un jour, deux jours, une semaine, les habitants étaient maintenus prisonniers dans leurs villes ou leurs villages. Les gens étaient empêchés de se rendre à leur travail, les marchandises pourrissaient dans les entrepôts, des malades mouraient faute d'avoir pu rejoindre un hôpital. Le niveau de vie de la majorité des Palestiniens s'effondra, le chômage et la pauvreté s'étendirent. Comment la punition des populations pouvait-elle contribuer à éradiquer le terrorisme ? Une seule arme aurait été efficace : l'avance résolue vers la fin totale de l'occupation, vers la création d'un État palestinien.

Échec à Camp David

En 1999, les Palestiniens sont à bout de patience. Ils ne croient plus aux tractations, aux compromis jamais appliqués. Ils se méfient d'une Autorité palestinienne gangrenée par la corruption et l'autoritarisme. Leur vie quotidienne ne cesse de se dégrader. Mai 1999 devait marquer la fin de la période transitoire d'autonomie et voir la création d'un État palestinien, mais le calendrier n'a pas été respecté, aucun des grands dossiers en suspens n'a été ouvert, la création d'un État indépendant ne semble plus au bout du chemin d'Oslo. « Nous n'avons plus de marge de manœuvre. La société palestinienne a perdu tout espoir dans la paix. Ces dernières années, elle a été littéralement étouffée et humiliée. » C'est en ces termes que Saeb Erekat, l'un des principaux négociateurs palestiniens, tente d'alerter le gouvernement nouvellement élu du travailliste Ehoud Barak. Celui-ci a remporté au mois de mai 1999 une victoire éclatante sur son rival Benyamin Netanyahou.

Son triomphe est accueilli avec satisfaction par la direction palestinienne, bien que le personnage, nouveau venu dans la politique, ne manque pas de susciter quelques appréhensions. Le « soldat le plus décoré de l'histoire d'Israël » s'est opposé, en tant que chef d'état-major, aux accords d'Oslo en septembre 1993. Devenu ministre de l'Intérieur, il a voté en septembre 1995 contre les accords d'Oslo II qui prévoyaient le retrait de l'armée israélienne des grandes villes palestiniennes. Arrivé au pouvoir, il va réussir en quelques mois, selon la formule employée par Charles Enderlin dans son livre *Le Rêve brisé*, à « bâtir la méfiance » avec les Palestiniens.

Sous prétexte d'engager immédiatement des négociations sur le statut final de la Cisjordanie et de Gaza, Barak rechigne à mettre en œuvre les engagements de son prédécesseur, Benyamin Netanyahou, et à céder de nouveaux territoires à l'Autorité ; il ne s'y résoudra que de manière tardive et très partielle. Il reniera aussi ses propres promesses d'évacuer des villages des faubourgs de Jérusalem – Abou Dis, Azaryeh et Sawahra –, en dépit d'un vote favorable du gouvernement et du parlement israéliens.

Barak manifeste également un attachement à la colonisation qui n'a rien de tactique. L'un de ses premiers gestes, une fois élu, est de rendre visite aux colons extrémistes d'Ofra et de Bet El, qu'il appelle «mes très chers frères». Le 31 mars 2000, il adresse un message aux fanatiques juifs installés au cœur d'Hébron. Il y affirme «le droit des juifs à vivre en sûreté, protégés de toute atteinte dans la ville des Patriarches». Le rythme de construction de logements dans les colonies sera plus rapide sous son gouvernement que sous celui de la droite.

Plus grave : Barak délaisse pendant des mois le dossier palestinien au profit de la négociation avec la Syrie. Il tentera plus tard de se justifier : «J'ai toujours été un partisan de "la Syrie d'abord" [...]. Signer la paix avec la Syrie limiterait sérieusement les capacités des Palestiniens à étendre le conflit, alors que résoudre le problème palestinien ne diminuera pas la capacité de la Syrie à menacer l'existence d'Israël.» Il n'écoute pas Oded Eran, l'homme qu'il a désigné pour conduire les négociations avec les Palestiniens : «Je lui ai dit que c'était le problème palestinien qui était au centre du conflit israélo-arabe. [...] S'il n'était pas réglé, on ne parviendrait pas à trouver de solution au conflit et à signer un accord avec la Syrie. » Barak n'écoute personne et s'engage avec Damas dans des conversations qui échoueront.

Lorsque les pourparlers avec les Palestiniens reprennent, au printemps 2000, le Premier ministre israélien a perdu près d'un an, sa majorité gouvernementale s'est délitée, la méfiance de l'Autorité et du peuple palestiniens s'est accrue. Barak décide alors de forcer le destin, d'imposer la tenue d'un sommet entre Arafat, Clinton et lui pour régler d'un coup tous les dossiers en suspens : le tracé des frontières, le sort des millions de réfugiés palestiniens, les colonies, Jérusalem, la sécurité, le problème de l'eau, etc. Offre sincère ? Coup de poker ? Volonté de piéger l'Autorité pour pouvoir la rendre responsable d'un échec ? La direction palestinienne exprime ses réticences. Elle explique qu'il faudrait préparer le terrain pour qu'une rencontre entre Barak et Arafat soit vraiment fructueuse. Un sommet convoqué à la va-vite risquerait de déboucher sur un désastre. Mais rien n'y fera.

La réunion entre le Président Clinton, Arafat et Barak se tient donc à Camp David en juillet 2000. Elle se terminera sur un fiasco, d'autant plus durement ressenti que l'on avait prophétisé des miracles. Ehoud Barak, et après lui l'ensemble de la classe politique et la plupart des intellectuels israéliens proclameront que les Palestiniens ont refusé une «offre généreuse», qu'ils ont, une fois de plus, laissé passer une chance historique.

Une «offre généreuse» ? À quelle aune? À celle du droit international? L'expression même en dit long, c'est celle que le vainqueur emploie pour s'adresser au vaincu. Elle traduit une certaine vision de la paix, une paix imposée par le plus fort au plus faible. Pendant de nombreux mois ont prévalu à propos de ce sommet les seules interprétations d'Ehoud Barak. On sait aujourd'hui, grâce à de nombreux témoignages israéliens, palestiniens et américains, grâce aussi au travail réalisé par Charles Enderlin, ce qui s'est réellement passé. Et la version de l'«offre généreuse» n'y résiste pas un instant.

«À aucun moment, écrit Charles Enderlin, Arafat ne s'est vu proposer [à Camp David] l'État palestinien sur plus de 91 % de la Cisjordanie, et cela sans que jamais lui soit reconnue la souveraineté complète sur les quartiers arabes de Jérusalem et le Harâm al-Charif/mont du Temple. [...] Jamais, comme l'affirmeront certaines organisations juives, les négociateurs palestiniens n'ont exigé le retour en Israël de trois millions de réfugiés. Les chiffres discutés au cours des pourparlers ont varié de quelques centaines à quelques milliers [...].»

Comme le montrent les cartes du cahier central, l'État palestinien proposé à Camp David serait pratiquement coupé en quatre. D'autre part, Israël n'a jamais renoncé à son contrôle sur une partie du Jourdain et sur les frontières extérieures de l'État palestinien, ni sur son espace aérien. Aucune solution appropriée ne fut envisagée pour les réfugiés palestiniens. Sur Jérusalem, en revanche, Ehoud Barak assouplit un inamovible dogme . il accepta d'envisager le partage de la ville, décrétée en 1967 «capitale éternelle» d'Israël. Jérusalem pourrait devenir la capitale des deux États, même s'il restait encore à déterminer ce qui appartiendrait à chacun – et les propositions israéliennes concernant Jérusalem-Est, «territoire occupé», faut-il le rappeler, étaient loin d'être «généreuses». Cette timide ouverture suscita une levée de boucliers en Israël, mais aussi dans les communautés juives du monde. Élie Wiesel, prix Nobel de la paix, écrivit dans *Le Monde* (18 janvier 2001) un texte intitulé : «Jérusalem, il est urgent d'attendre», reprochant ses concessions au Premier ministre israélien. Mieux vaut le mur des Lamentations que la paix, expliquait en substance cette «grande conscience». Il est vrai qu'Élie Wiesel nie le fait que des Palestiniens aient été expulsés en 1948-1950 et que, interrogé sur les massacres de Sabra et Chatila, il n'a pas eu un mot de compassion pour les victimes... Les plus fanatiques ne sont pas toujours ceux qu'on croit.

Quoi qu'il en soit, aucun dirigeant palestinien, aussi «modéré» soit-il, ne pouvait accepter en l'état les propositions israéliennes de Camp David. L'échec de ce sommet ne sonnait pas nécessairement les trompettes de l'Apocalypse. Des avancées avaient eu lieu – par exemple, les Palestiniens avaient accepté l'annexion par Israël de certains territoires dans lesquels était concentré un nombre important de colons –, et les tractations se poursuivaient. Mais, au lieu de bâtir sur ces acquis, Barak rejeta l'entière responsabilité de l'échec sur le président palestinien et, surtout, commença à reprendre le vieux slogan de la droite : il n'y a pas d'interlocuteur du côté palestinien. Relayée par les journalistes et les médias, cette thèse finit par acquérir force de dogme. Barak se consacra alors à une unique tâche : révéler le «véritable visage» d'Arafat. Il ne négocia plus pour aboutir, mais pour montrer que l'on ne pouvait pas aboutir. De fait, il réussit à convaincre son opinion publique que, désormais, c'était «eux ou nous». Il porta ainsi un coup mortel au camp de la paix israélien – Uri Avnery, vieux militant pacifiste israélien, qualifiera Barak de «criminel de paix».

Le revirement de l'opinion israélienne est accéléré par le déclenchement de la seconde

Intifada. Sourde aux souffrances endurées par la population palestinienne, l'opinion voit dans ce soulèvement la confirmation de l'idée que l'Autorité ne veut pas la paix. Le 28 septembre 2000, Ariel Sharon s'impose de manière provocatrice sur l'esplanade des Mosquées à Jérusalem; le lendemain, quelques dizaines de jeunes lancent des pierres, la police «riposte» et tue 4 personnes; en trois jours, elle abat 30 personnes et fait 500 blessés. Les Palestiniens, sans aucune directive centrale, se révoltent. Ils réclament la fin immédiate de l'occupation, ni plus ni moins. En un mois, plus de 200 Palestiniens sont tués, dont un tiers environ a moins de 17 ans. Pour répondre à cette incroyable brutalité, l'Intifada se militarise à partir de début novembre.

Bien que le gouvernement israélien porte la responsabilité première dans l'explosion, la direction palestinienne ne peut être totalement exonérée du cours fatal pris par les événements. Marquée par les pratiques autoritaires de Yasser Arafat, agitée par les luttes pour la succession, elle a fait preuve d'une mortelle paralysie durant toute l'Intifada. Elle n'a été capable ni de formuler ses objectifs avec suffisamment de clarté, ni de définir une stratégie de crise, ni de répondre aux inquiétudes du peuple israélien. Elle a même avivé ses craintes par des déclarations intempestives sur le droit au retour des réfugiés ou par l'expression de doutes quant au caractère sacré du mont du Temple pour le judaïsme. Convaincu que les États-Unis contrôlent 99 % des cartes de la négociation, Yasser Arafat a négligé un facteur crucial : aucun accord n'est possible sans le soutien de l'opinion israélienne. Jusqu'à la dernière minute, l'Autorité sous-estimera les risques d'une victoire d'Ariel Sharon aux élections du 6 février 2001, persuadée que le peuple israélien ne peut élire le responsable des massacres de Sabra et Chatila.

Malgré la violence, les négociations entre Israéliens et Palestiniens se poursuivent entre octobre 2000 et janvier 2001. Les grandes lignes d'un accord sont même tracées à Taba, petite station balnéaire égyptienne (voir cartes, cahier central). Cette réunion se déroule en janvier 2001, alors que les élections israéliennes ont été fixées au 6 février et que rien ne peut plus empêcher la défaite de l'équipe Barak. Pourtant, les négociateurs israéliens et palestiniens, en l'absence de représentants américains mais en présence de l'envoyé spécial européen pour le Proche-Orient Miguel Angel Moratinos, avancent de manière significative sur les principaux dossiers. Le règlement territorial devra s'effectuer sur la base de la résolution 242 du Conseil de sécurité et autour des lignes du 4 juin 1967. Israël évacuerait totalement Gaza et annexerait entre 3 et 6 % de la Cisjordanie (ce qui représente entre 50 et 80 % des colons). Le principe d'une compensation territoriale pour les Palestiniens est accepté. Toutes les colonies en territoire palestinien seront démantelées. Face aux délais d'évacuation proposés par Israël – 3 ans, plus 3 autres années pour les troupes stationnées sur le Jourdain –, les Palestiniens offrent un calendrier de 18 mois (plus 10 mois sur le Jourdain).

Aux termes de l'accord de Taba, Jérusalem ne serait pas divisée et deviendrait la capitale de deux États, les quartiers juifs de Jérusalem-Est étant annexés par Israël. Israël contrôlerait le mur des Lamentations et les Palestiniens l'esplanade des Mosquées. Les deux parties ne sont pas tombées d'accord sur la question de la souveraineté sur les Lieux saints mais ont étudié la proposition de la confier, pour une période limitée, aux cinq membres du Conseil de sécurité et au Maroc. Sur la sécurité, les positions se sont beaucoup rapprochées. Le principe de stations d'alerte israéliennes sur le Jourdain a été entériné et les Palestiniens ont admis une limitation de l'armement de leur futur État. La présence d'une force internationale aux frontières a été acceptée.

Le problème le plus complexe reste celui des réfugiés palestiniens. Le document israélien, rédigé par Yossi Beilin, ministre de la Justice, reconnaît que «le problème des réfugiés palestiniens est central dans les relations israélo-palestiniennes. Sa solution globale et juste est essentielle pour créer une paix durable et moralement irréprochable [...]. L'État d'Israël exprime solennellement sa tristesse pour la tragédie des réfugiés palestiniens, leur souffrance et leurs pertes, et sera un partenaire actif pour clore ce terrible chapitre ouvert il y a cinquante-trois ans». Pour la première fois, Israël accepte une part de responsabilité dans la naissance du problème des réfugiés : «Malgré son acceptation de la résolution 181 de l'Assemblée générale des Nations unies de novembre 1947 [qui recommande le partage de la Palestine en deux États, l'un juif, l'autre arabe], l'État d'Israël naissant a été entraîné dans la guerre et l'effusion de sang de 1948-1949, qui ont fait des victimes et provoqué des souffrances des deux côtés, y compris le déplacement et l'expropriation de la population civile palestinienne qui est devenue réfugiée [...]. Un règlement juste du problème des réfugiés palestiniens, en accord avec la résolution 242 du Conseil de sécurité des Nations unies, doit conduire à la mise en œuvre de la résolution 194 de l'Assemblée générale des Nations unies [...].»

À partir de ces principes, des solutions concrètes ont été élaborées. Cinq possibilités seraient offertes aux réfugiés : le retour dans des territoires israéliens cédés par Israël à la Palestine; le retour dans l'État palestinien; l'installation sur leur lieu de résidence (Jordanie, Syrie, etc.) ; le départ pour un autre pays (plusieurs États, dont le Canada, ont déjà fait savoir qu'ils étaient prêts à accepter d'importants contingents de Palestiniens) ; le retour en Israël. Tout en insistant sur le libre choix des réfugiés, les responsables palestiniens ont rappelé qu'ils ne voulaient pas mettre en cause le caractère juif de l'État d'Israël – caractère qu'ils ont reconnu lors de la déclaration d'indépendance de la Palestine adoptée au Conseil national de 1988. Comme le précise Yossi Sarid, le dirigeant du parti de gauche Meretz, présent à Taba, la partie palestinienne a admis que «la décision finale pour le retour de tout réfugié en Israël [serait] dans les mains israéliennes». Israël a consenti au retour de 40 000 réfugiés sur cinq ans, mais les Palestiniens ont rétorqué qu'une offre inférieure à 100 000 ne permettait pas d'avancer. Selon Yasser Abed Rabbo, ministre palestinien de l'Information, la détermination de ce nombre restait le dernier obstacle à franchir pour clore cet épineux dossier.

Les deux parties ont aussi accepté que la priorité soit accordée aux réfugiés du Liban, qui vivent dans les conditions les plus éprouvantes du fait de la politique discriminatoire du gouvernement de Beyrouth. Le texte israélien précise même : «L'État d'Israël reconnaît son devoir moral à la solution rapide de la condition des populations réfugiées des camps de Sabra et Chatila.» Une commission internationale et un fonds international seraient rapidement mis en place pour dédommager les réfugiés.

Certes, il était déjà trop tard et le sort des élections israéliennes était déjà joué. Pourtant, ce «compromis de Taba» montrait tout d'abord que l'«offre généreuse» de Camp David n'était pas si «généreuse» que cela, et qu'elle n'était pas, comme le prétendait Barak, «à prendre ou à laisser». D'autre part, il permettait de dessiner les grandes lignes d'un accord acceptable par les deux populations, qui souhaitent sortir d'une guerre sans fin. Pourtant, c'est une autre voie qu'a choisie le gouvernement d'Ariel Sharon, fermement soutenu par la nouvelle administration américaine de George W. Bush.

Les choix d'Ariel Sharon

«C'est la plus grande catastrophe qui soit jamais arrivée à Israël.» Ainsi Ariel Sharon a-t-il défini les accords d'Oslo. Installé au poste de Premier ministre, son objectif stratégique est de liquider tous les acquis des années 1990. Il lui faut d'abord en finir avec l'Autorité palestinienne, avec son chef, ses rouages, ses symboles. Peu importe que l'Autorité ait condamné les attentats-suicides contre la population civile israélienne, elle est par principe « coupable », alors que les commanditaires des attaques – le Hamas et le Djihad islamique – sont à peine mentionnés dans les communiqués israéliens. Mais Ariel Sharon ne se contente pas de broyer l'Autorité et de se dégager du carcan des accords d'Oslo. Son but ultime est la capitulation de la population palestinienne et sa renonciation à toute forme de résistance. Pour cela, il faut taper – et taper fort. Le 5 mars 2002, il explique au Parlement : « Il faut les battre. Nous devons leur infliger de lourdes pertes et ils comprendront qu'ils ne peuvent pas continuer à utiliser la terreur et à obtenir des avantages politiques. »

Sur le terrain, l'armée israélienne met en œuvre ces « principes » : destruction systématique des infrastructures – dont certaines financées par l'Union européenne –, bombardement sans discrimination des camps de réfugiés, maisons éventrées, attaques contre des hôpitaux, entraves systématiques à la circulation des ambulances et au travail des secouristes – ce qui a poussé, fait exceptionnel, la Croix-Rouge internationale à protester –, pillages, vols, destruction de tous les cadres de la vie matérielle et sociale des Palestiniens. Les journalistes et les observateurs internationaux se voient souvent interdits d'accès aux lieux de combat, harcelés, refoulés. Plusieurs cas d'exécution sommaire, d'utilisation de « boucliers humains » ont été dénoncés, et l'organisation israélienne de défense des droits de la personne, B'tselem, a fait part d'informations concordantes révélant des cas de torture de prisonniers.

Le Premier ministre Sharon espère ainsi, après s'être débarrassé de l'Autorité et de M. Yasser Arafat, faire accepter la « solution à long terme » qu'il préconise depuis 1998 : quelques bantoustans palestiniens autogérés, enserrés dans un carcan de colonies juives, dont le réseau n'a cessé de s'étendre depuis la signature des accords d'Oslo de 1993. Les Palestiniens géreraient leurs propres affaires, sans aucune forme de souveraineté. Pourtant, comme le souligne l'historien israélien Zeev Sternhell : « Seul un esprit malade peut espérer que l'occupation des territoires entraîne la fin de la guérilla et de la terreur. » Depuis deux ans, la seconde Intifada traduit le rejet par les Palestiniens d'une occupation illégitime, qui se perpétue depuis trente-cinq ans en dépit de multiples résolutions des Nations unies et au défi des accords d'Oslo. Malgré les souffrances endurées, les Palestiniens ne renoncent pas à obtenir la fin de la présence étrangère sur leurs territoires. L'Autorité palestinienne comme le Fatah et les principales organisations palestiniennes – à l'exception du Hamas – continuent de revendiquer le droit à un État indépendant sur les territoires occupés en juin 1967, avec Jérusalem-Est pour capitale, aux côtés de l'État d'Israël.

Ce droit leur est reconnu par la communauté internationale, y compris par Washington, qui a pris l'initiative de faire voter par le Conseil de sécurité des Nations unies, le 13 mars 2002, la résolution 1397 : celle-ci affirme l'attachement «à la vision d'une région dans laquelle deux États, Israël et la Palestine, vivent côte à côte, à l'intérieur de frontières sûres et reconnues». Le sommet arabe de Beyrouth des 27 et 28 mars 2002 a adopté, à l'unanimité, le plan du prince héritier saoudien Abdallah Ben Abdelaziz préconisant des «relations normales» avec Israël en échange d'un retrait total des troupes israéliennes sur les lignes du 4 juin 1967.

Deux obstacles principaux restent à franchir sur le chemin de cette solution : d'un côté l'administration américaine, qui, en dépit de ses bonnes paroles, soutient fermement la politique du gouvernement Sharon au nom de «la lutte contre le terrorisme», dont elle a fait son mot d'ordre central depuis le 11 septembre 2001 ; de l'autre le «camp du refus» israélien, mené par le général Sharon et qui a réussi à s'assurer l'appui d'une majorité de la population, traumatisée par les attentats-suicides. Ces attaques, qui visent les civils israéliens, ne sont pas seulement moralement condamnables – comme l'est la politique terroriste de l'armée israélienne contre les civils palestiniens –, elles sont aussi politiquement aberrantes car elles minent les forces de paix en Israël et empêchent l'émergence d'une alternative au gouvernement de guerre de Sharon.

Désormais, tous les acquis des négociations de Madrid et d'Oslo sont menacés : la reconnaissance réciproque entre Israéliens et Palestiniens, la normalisation des relations entre Israël et les pays arabes, les chances d'une coopération économique et d'une impulsion au développement de la région. D'ici à 2010, sur le territoire de Palestine-Israël vivront autant de juifs que d'Arabes. Faut-il se résigner à voir les deux «communautés» se livrer une guerre à mort, une guerre de religions? «Eux ou nous» sera-t-il le mot d'ordre des prochaines décennies?

Refusant cette perspective, plusieurs ministres (Yasser Abed Rabbo, Nabil Amr, Hisham Abdoul Razzek) et intellectuels (Hanan Ashrawi, Sari Nuseibeh, Salim Tamari) palestiniens, ainsi que des politiques (Yossi Beilin) et de nombreux écrivains (dont Amos Oz, A.B. Yehoshua, David

Grossman) israéliens ont lancé un appel commun à la fin du mois de juillet 2001. « Nous, Israéliens et Palestiniens, dans les plus difficiles des circonstances pour nos deux peuples, venons ensemble pour réclamer la fin du bain de sang, la fin de l'occupation, un retour urgent aux négociations et à la mise en œuvre de la paix. [...] En dépit de tout, nous croyons toujours en l'humanité du camp adverse et dans le fait que nous avons un partenaire avec qui nous allons faire la paix. Une solution négociée au conflit entre nos peuples est possible. [...] Pour aller de l'avant, il faut accepter la légitimité internationale et l'application des résolutions 242 et 338 du Conseil de sécurité de l'ONU menant à une solution fondée sur les frontières de 1967 et sur deux États, Israël et la Palestine, côte à côte, ayant Jérusalem pour capitale respective. Des solutions justes et durables peuvent être trouvées à tous les problèmes en suspens sans porter atteinte à la souveraineté des États palestinien et israélien, souveraineté définie par leurs citoyens respectifs et comprenant les aspirations à un État des deux peuples, palestinien et juif. »

La seule autre option relève du cauchemar, de l'apocalypse si souvent annoncée sur cette terre trois fois sainte, une apocalypse qui ne ferait aucune différence entre les uns et les autres, entre les vainqueurs et les vaincus. La

Bible conte l'histoire de Samson, un des héros de la lutte de son peuple contre les occupants philistins, fait prisonnier par ses ennemis qui lui crèvent les yeux et l'emmènent à Gaza. Un jour, les Philistins le font venir pour se divertir de lui : « Samson palpa les deux colonnes du milieu sur lesquelles reposait le temple et il prit appui contre elles, contre l'une avec son bras droit et contre l'autre avec son bras gauche. Samson dit : "Que je meure avec les Philistins", puis il s'arc-bouta avec force et le temple s'écroula sur les tyrans et sur tout le peuple qui s'y trouvait. Les morts qu'il fit mourir par sa mort furent plus nombreux que ceux qu'il avait fait mourir durant sa vie. »

Chronologie

De la Première Guerre mondiale à la seconde Intifada

1914

Début de la Première Guerre mondiale. L'Empire ottoman s'engage aux côtés de l'Allemagne et de l'Autriche-Hongrie.

1916

Accords secrets Sykes-Picot entre la France et la Grande-Bretagne pour le partage du Proche-Orient.

1917

2 novembre : Lord Arthur James Balfour, ministre britannique des Affaires étrangères, envoie une lettre à lord Walter Rothschild, représentant des juifs britanniques, qui annonce que le gouvernement britannique « envisage favorablement l'établissement en Palestine d'un foyer national pour le peuple juif ».

9 décembre : Prise de Jérusalem par les troupes britanniques.

1920

Mai : Émeutes sanglantes à Jérusalem contre l'immigration juive.

1922

Juillet : La Société des Nations confie le mandat sur la Palestine à la Grande-Bretagne.

1929

Août : Nouvelles émeutes à Jérusalem. Manifestations dans toute la Palestine. Pogrom à Hébron.

1933

Janvier : Arrivée de Hitler au pouvoir en Allemagne.

1936

Grève générale palestinienne entre avril et octobre. Ainsi débute la « grande révolte palestinienne », qui perdurera jusqu'en 1939.

1937

7 juillet : Rapport de la commission d'enquête Peel, qui propose le partage de la Palestine en deux États, mais avec le maintien du contrôle britannique.

1939

17 mai : Adoption du Livre blanc britannique, qui prévoit la création en Palestine d'un État unifié où juifs et Arabes se partageraient le pouvoir, la limitation de l'immigration juive ainsi que celle de l'achat de terres par les sionistes.

Septembre : Début de la Seconde Guerre mondiale.

1942

Mai : Adoption par l'organisation sioniste mondiale du programme de Biltmore, qui réclame la création d'un État juif sur toute la Palestine et la liberté d'immigration.

1947

Février : Londres décide de porter la question palestinienne devant les Nations unies.

29 novembre : L'Assemblée générale des Nations unies adopte, à la majorité des deux tiers, le plan de partage de la Palestine par la résolution 181, qui prévoit un État juif, un État arabe et une zone «sous régime international particulier» autour de Jérusalem.

1948

9-10 avril : Massacre d'une centaine d'habitants dans le village palestinien de Deir Yassin.

14 mai : Proclamation de la naissance de l'État d'Israël par David Ben Gourion.

15 mai : Pénétration en Palestine des armées des États arabes, qui refusent le plan de partage – armées de Transjordanie, d'Égypte et de Syrie, aidées de contingents libanais et irakiens.

11 décembre : Adoption par les Nations unies de la résolution 194 qui proclame le droit des réfugiés à retourner dans leurs foyers (ou à une indemnisation).

1949

11 mai : Israël devient membre de l'ONU.

Du 23 février au 20 juillet : Les accords d'armistice signés par Israël et ses voisins arabes entérinent les résultats de la guerre.

1950

Avril : Annexion de la Cisjordanie par la Transjordanie. L'Égypte assure son contrôle sur Gaza.

Israël adopte la loi du retour, qui octroie d'office la nationalité à tout immigrant juif.

1956

Octobre-novembre : Agression d'Israël, de la France et de la Grande-Bretagne contre l'Égypte après la nationalisation par Nasser du canal de Suez, le 26 juillet.

1959

Octobre : Premier congrès du Fatah, créé au Koweit.

1964

13-17 janvier : Premier sommet des chefs d'État arabes au Caire.

29 mai : Création de l'Organisation de libération de la Palestine (OLP) à Jérusalem.

1965

1er janvier : Première action militaire du Fatah contre Israël.

1967

5-10 juin : Guerre des Six-Jours : Israël occupe le reste de la Palestine (Cisjordanie, bande de Gaza, Jérusalem-Est), le Sinaï égyptien et le Golan syrien. Dès l'été, la colonisation de ces territoires commence.

22 novembre : Le Conseil de sécurité des Nations unies adopte la résolution 242. Elle fait du droit à l'existence et à la sécurité d'Israël, mais aussi du «retrait des forces armées des territoires occupés», les conditions d'une paix durable. Sa philosophie a été résumée dans le principe : «la paix contre les territoires».

1969

1er-4 février : Cinquième Conseil national palestinien. Yasser Arafat devient président du Comité exécutif de l'OLP.

1970

Septembre : Les affrontements entre l'armée jordanienne et l'OLP aboutissent à l'écrasement de cette dernière. En 1971, elle est expulsée de Jordanie. La direction de la résistance palestinienne s'installe au Liban.

1972

5-6 septembre : Assassinat de plusieurs athlètes israéliens aux Jeux olympiques de Munich par un commando de l'organisation palestinienne « Septembre noir ».

1973

6 octobre : Offensive des troupes égyptiennes et syriennes pour reconquérir les territoires occupés par Israël. Début de la guerre d'Octobre, dite aussi « guerre du Kippour » ou « du Ramadan ».

26-28 novembre : Sommet arabe d'Alger. L'OLP est reconnue comme « seul représentant du peuple palestinien ». La Jordanie s'abstient sur cette résolution.

1977

12-20 mars : Treizième Conseil national palestinien de l'OLP au Caire. Acceptation de l'idée d'un État palestinien indépendant édifié sur une partie de la Palestine.

17 mai : La droite gagne pour la première fois les élections en Israël. Son dirigeant, Menahem Begin, devient Premier ministre.

19-21 novembre : Voyage du président égyptien Anouar El Sadate à Jérusalem.

1978

14 mars : Israël envahit le Liban-Sud.

17 septembre : Signature des accords de Camp David entre l'Égypte, Israël et les États-Unis.

1981

6 octobre : Assassinat du Président Sadate.

1982

25 avril : Fin de l'évacuation du Sinaï par Israël.

6 juin : Début de l'invasion israélienne du Liban et siège de Beyrouth.

14-18 septembre : Assassinat du nouveau président du Liban, élu mais non encore intronisé, Béchir Gemayel. Entrée des troupes israéliennes à Beyrouth-Ouest. Massacres dans les camps de Sabra et Chatila. Bilan : 800 morts selon la commission d'enquête israélienne présidée par le juge Kahane, 1 500 selon l'OLP.

1987

Décembre : Début à Gaza, puis en Cisjordanie de la première Intifada, ou «révolte des pierres».

1988

12-15 novembre : Dix-neuvième session du Conseil national palestinien à Alger : l'OLP proclame l'État de Palestine, reconnaît les résolutions 181 et 242 des Nations unies et réaffirme sa condamnation du terrorisme.

1991

30 octobre : Ouverture de la conférence de Madrid par les présidents américain et soviétique George Bush et Mikhaïl Gorbatchev, suivie, le 3 novembre, des premières négociations bilatérales entre Israël et ses voisins arabes, y compris les Palestiniens dans le cadre d'une délégation commune jordano-palestinienne.

1992

23 juin : Itzhak Rabin et le Parti travailliste remportent les élections législatives israéliennes.

1993

9-10 septembre : Israël et l'OLP se reconnaissent mutuellement.

13 septembre : Signature par l'OLP et le gouvernement israélien à la Maison Blanche, en présence de Itzhak Rabin et de Yasser Arafat, de la Déclaration de principes sur les arrangements intérimaires d'autonomie.

1994

25 février : Massacre dans la mosquée de Hébron : le colon Baruch Goldstein assassine 29 Palestiniens.

29 février : Accord de Paris entre Israël et l'OLP sur les questions économiques.

4 mai : Accord du Caire entre Itzhak Rabin et Yasser Arafat sur les modalités d'application de la Déclaration de principes israélo-palestinienne.

1er juillet : Retour de Yasser Arafat à Gaza.

14 octobre : Yasser Arafat, Shimon Pérès et Itzhak Rabin reçoivent conjointement le prix Nobel de la paix.

26 octobre : Signature entre Israël et la Jordanie d'un traité de paix.

1995

28 septembre : Yasser Arafat et Itzhak Rabin signent à Washington des accords sur l'extension de l'autonomie à la Cisjordanie, dits accords d'Oslo II.

4 novembre : Assassinat d'Itzhak Rabin par un étudiant israélien d'extrême droite. Il est remplacé par Shimon Pérès.

Novembre-décembre : Israël achève son retrait des villes palestiniennes – sauf de Hébron.

1996

20 janvier : Yasser Arafat est élu président de l'Autorité palestinienne et ses partisans emportent les deux tiers des 80 sièges au Conseil d'autonomie, qui prend le nom de Conseil législatif.

Février-mars : En représailles à l'assassinat de Yehia Ayache, l'«ingénieur» du Hamas, par les services secrets israéliens, le Hamas organise, à Jérusalem, Tel-Aviv et Ashkelon, une série d'attentats terroristes sanglants qui font plus de 100 morts et déstabilisent le gouvernement Pérès.

Avril : Opération «Raisins de la colère» de l'armée israélienne contre le Liban. Le 18, une centaine de civils réfugiés dans le camp de l'ONU de Cana périssent sous les bombes israéliennes. Un cessez-le-feu intervient le 27.

24 avril : Réuni pour la première fois en Palestine, à Gaza, le Conseil national palestinien élimine de sa charte tous les articles mettant en cause le droit à l'existence de l'État d'Israël.

29 mai : Benyamin Netanyahou et sa coalition regroupant la droite, l'extrême droite et les religieux remportent de justesse les élections israéliennes.

27-29 septembre : L'ouverture par la municipalité juive de Jérusalem d'un tunnel en contrebas de l'esplanade des Mosquées provoque les violences les plus graves dans les territoires occupés depuis la fin de l'Intifada (76 morts).

1997

15 janvier : Protocole d'accord sur le redéploiement israélien de la ville de Hébron.

25 septembre : La police palestinienne autonome ferme seize bureaux et associations liés au Hamas.

1999

4 mai : Fin de la période d'autonomie palestinienne prévue par la Déclaration de principes du 13 septembre 1993. Le Conseil central de l'OLP accepte de reporter la proclamation de l'État palestinien indépendant.

17 mai : Élections, en Israël, des 120 députés à l'Assemblée et du Premier ministre. Le candidat travailliste Ehoud Barak l'emporte largement.

2000

Mai : Retrait précipité – il était prévu au 7 juillet – de l'armée israélienne du Liban-Sud.

11-24 juillet : Négociations à Camp David entre Ehoud Barak, Yasser Arafat et Bill Clinton.

28 septembre : Le chef du Likoud, Ariel Sharon, se rend sur l'esplanade des Mosquées à Jérusalem. Le lendemain, ce sont les premiers heurts, les premières victimes et le début de la seconde Intifada.

2001

21-27 janvier : Pourparlers de Taba entre Israéliens et Palestiniens.

6 février : Le candidat de la droite, Ariel Sharon, est élu Premier ministre d'Israël avec 62,5 % des voix.

17 avril : Première incursion israélienne dans une zone sous contrôle palestinien à Gaza.

1er juin : Attentat contre la discothèque Dolphinarium à Tel-Aviv. Une vingtaine de morts.

11 septembre : Attaques terroristes contre New York et Washington.

16 décembre : Appel de Yasser Arafat à l'arrêt des opérations militaires à l'intérieur d'Israël. Trois semaines de calme s'ensuivent, jusqu'à un « assassinat ciblé » visant Raed Al Karmi, responsable des brigades d'Al Aqsa, proches du Fatah.

2002

13 mars : Le Conseil de sécurité adopte la résolution 1397, qui mentionne pour la première fois la perspective de «deux États : Israël et la Palestine, vivant à l'intérieur de frontières sûres et reconnues».

27-28 mars : Le sommet arabe de Beyrouth adopte le plan de paix saoudien, qui prévoit notamment «la fin du conflit israélo-arabe» et un «accord de paix» avec Israël en échange du retrait de tous les territoires arabes occupés en 1967.

Mars-avril : Offensive israélienne dans toute la Cisjordanie (opération «Remparts») à la suite d'un attentat sanglant à Netanya, en Israël.

25 juin : Discours du Président Bush sur le Proche-Orient. Alignement sur les positions israéliennes. Demande du départ de Yasser Arafat.

6 septembre : Ariel Sharon annonce que les accords d'Oslo n'existent plus, alors que l'armée israélienne poursuit l'occupation de la majorité des villes de Cisjordanie.

11 septembre : Le gouvernement palestinien nommé en juin 2002 par Yasser Arafat est contraint de démissionner sous la pression des députés du Conseil législatif.

12 septembre : Discours du Président Bush aux Nations unies. Le compte à rebours d'une intervention américaine contre l'Irak pour renverser le régime de Saddam Hussein semble avoir commencé.

Bibliographie

Ma dette à l'égard des historiens et des intellectuels palestiniens et israéliens est immense. Je ne peux citer ici tous leurs travaux – je me suis limité dans cette bibliographie succincte à quelques travaux français ou traduits en français –, mais je voudrais quand même mentionner leurs noms, dans le désordre : Walid Khalidi, Benny Morris, Ilan Pappé, Nur Masalha, Elias Sanbar, Simha Flapan, Idith Zertal, Ilan Halévi, Boaz Evron, Tom Segev, Avi Shlaim, Zeev Sternhell, Edward Said, Yezid Sayigh. Je voudrais aussi rendre un hommage particulier à Maxime Rodinson et à Pierre Vidal-Naquet, dont les réflexions m'ont servi de boussole sur le terrain miné que j'avais décidé de traverser.

• Sur l'histoire du conflit israélo-palestinien, on pourra consulter, en français :

Olivier CARRÉ, *Le Mouvement national palestinien*, Gallimard, coll. « Archives », 1972.

Charles ENDERLIN, *Le Rêve brisé. Histoire de l'échec du processus de paix au Proche-Orient, 1995-2002*, Fayard, 2002.

Alain GRESH, Dominique VIDAL, *Palestine 47. Un partage avorté*, Complexe, 1987.

Ilan HALÉVI, *Sous Israël, la Palestine*, Le Sycomore, 1978.

Henry LAURENS, *La Question de Palestine. L'invention de la Terre sainte*, Fayard, 1999.

Ilan PAPPÉ, *La Guerre de 1948 en Palestine*, La Fabrique, 2000.

Tom SEGEV, *C'était en Palestine au temps des coquelicots*, Liana Levi, 2000.

• Sur les juifs, le sionisme et la nation :

Suzanne CITRON, *L'Histoire de France autrement*, Les Éditions ouvrières, 1992.

Éric HOBSBAWM, *Nations et Nationalisme depuis 1780*, Gallimard, 1990.

Maxime RODINSON, *Peuple juif ou Problème juif ?*, La Découverte/Poche, 1997.

Tom SEGEV, *Le Septième Million. Les Israéliens et le Génocide*, Liana Levi, 1993.

Pierre VIDAL-NAQUET, *Les Juifs, la mémoire et le présent,* La Découverte, 1991.

• Sur le génocide, la mémoire et l'expulsion des Palestiniens :

Primo LEVI, *Si c'est un homme,* Julliard, 1987.

Tzvetan TODOROV, *Les Abus de la mémoire,* Arléa, 1998.

Dominique VIDAL, avec Joseph ALGAZY, *Le Péché originel d'Israël,* L'Atelier, 1998.

Pierre VIDAL-NAQUET, *Les Assassins de la mémoire,* La Découverte, 1987.

Table des matières

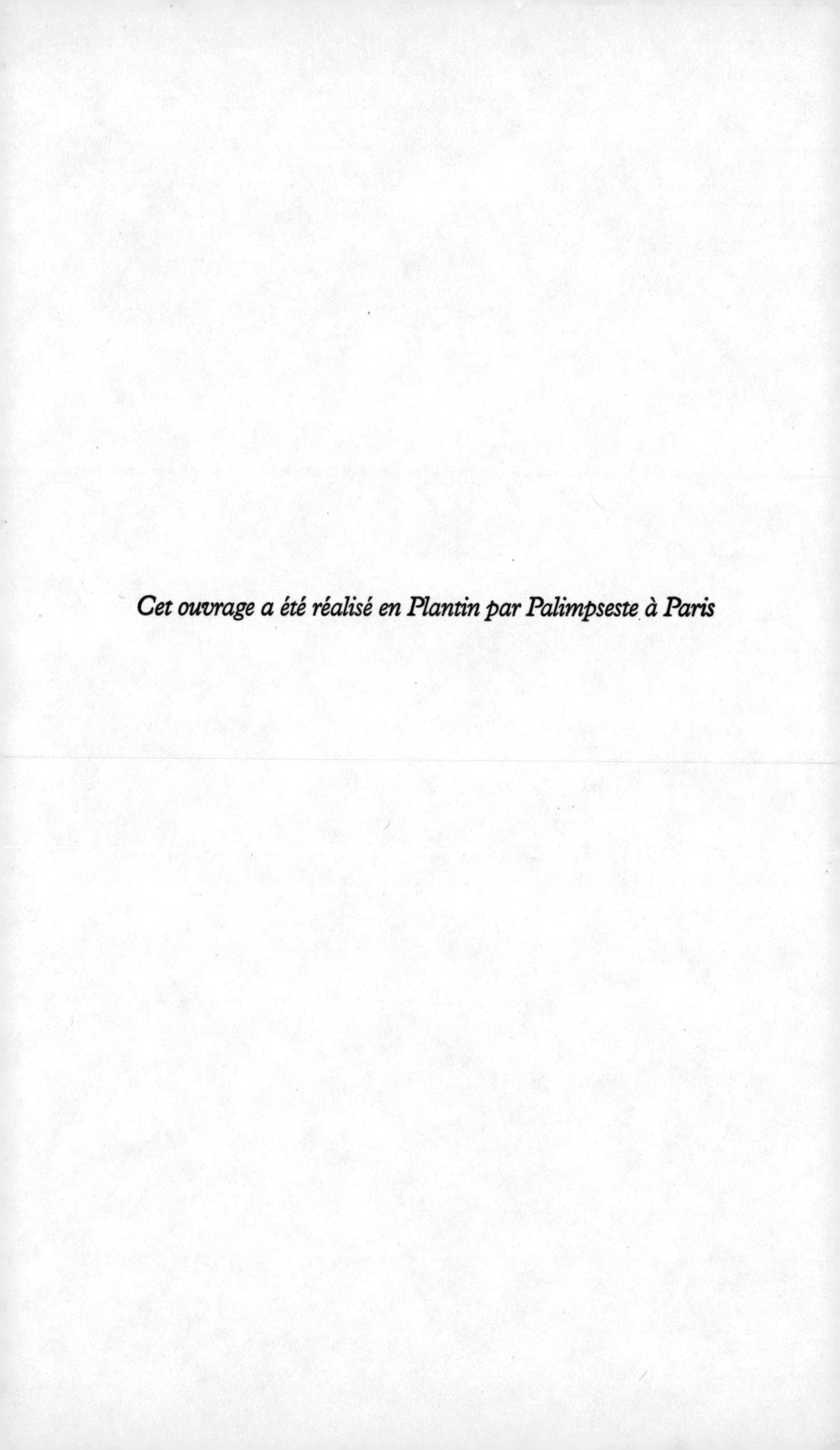

Cet ouvrage a été réalisé en Plantin par Palimpseste à Paris

Achevé d'imprimer en septembre 2002
sur presse Cameron
dans les ateliers de
Bussière Camedan Imprimeries
à Saint-Amand-Montrond (Cher)
pour le compte de la librairie Arthème Fayard
75, rue des Saints-Pères - 75006 Paris